Jean-Paul Dubois est né en 1950 à Toulouse où il vit actuellement. Journaliste, il commence par écrire des chroniques sportives dans *Sud-Ouest*. Après la justice et le cinéma au *Matin de Paris*, il devient grand reporter en 1984 pour *Le Nouvel Observateur*. Il examine au scalpel les États-Unis et livre des chroniques qui seront publiées dans *L'Amérique m'inquiète* (1996) et *Jusque-là tout allait bien en Amérique* (2002). Écrivain, Jean-Paul Dubois a publié de nombreux romans (*Je pense à autre chose*, *Si ce livre pouvait me rapprocher de toi*). Il a obtenu le prix France Télévisions pour *Kennedy et moi* (1996), le prix Femina et le prix du roman Fnac pour *Une vie française* (2004) ainsi que le prix Alexandre-Vialatte pour *Le Cas Sneijder* (2012). En 2019, Jean-Paul Dubois a reçu le prix Goncourt pour *Tous les hommes n'habitent pas le monde de la même façon.*

Jean-Paul Dubois

MARIA EST MORTE

ROMAN

Éditions de l'Olivier

La première édition de cet ouvrage a paru
aux éditions Robert Laffont, en 1989

TEXTE INTÉGRAL

ISBN 2-7578-0011-6
(ISBN 2-221-05645-0, 1re publication)

Pour Geneviève

« Il courait, d'une pièce à l'autre, un air qui disait à chaque instant que les années qui venaient de s'écouler étaient révolues, qu'une autre existence allait commencer, mais moins belle que la première. »

Emmanuel BOVE.

1

QUAND ELLE A DIT MON NOM JE ME SUIS RETOURNÉ

Samuel Bronchowski n'avait plus d'appétit. Ce qui restait dans son assiette était froid. La télévision s'appuyait contre le mur. Le téléphone, posé sur la table, n'avait pas sonné depuis longtemps.

En bas de l'immeuble, des voitures sortaient de la nuit ou y retournaient. Samuel Bronchowski regardait coaguler son morceau de viande dans le plat. Le sang était emprisonné dans les graisses. On eût dit une blessure mal soignée.

Du bruit parvenait des appartements voisins. Des pas sans consistance, sans expression, des pas de voisins. Avec le temps, Bronchowski avait appris à connaître les habitudes de chacun. Il ne s'en accommodait pas pour autant. Et ce soir, peut-être moins que jamais. Il laissa tout dans l'arrangement du désordre, prit un imperméable et quitta la pièce. Pour descendre, il avait le choix entre l'escalier et l'ascenseur. Dans ses doigts, il faisait tourner ses clefs. Elles le reliaient au monde et l'en isolaient tout à la fois. Il y tenait.

Il marchait en regardant les femmes comme un homme qui n'a rien à attendre d'elles. Samuel avait un visage anodin qu'on ne remarquait pas. Dans son idée, c'était plutôt une qualité.

Il n'avait pas d'endroit précis où se rendre. Il passait seulement un moment dans la rue. Cela ne lui était pas arrivé depuis des années. La dernière fois, ce devait être la nuit où Maria était morte. Elle s'était écroulée en montant l'escalier. Personne n'avait pu la ramener à la vie. Son visage reposait sur le sol. Samuel n'avait pas osé la toucher. Maria avait dix ans. Elle était son unique fille.

Maintenant, Bronchowski était assis dans un bar devant un soda. Des morceaux de glace fondaient dans le verre. Derrière le comptoir, le patron caressait une bouteille en surveillant de l'eau sale qui s'écoulait dans le bac de l'évier. La bonde régurgitait comme un estomac malade. A côté, une fille fumait en étirant ses jambes. Elle les poussait devant elle comme on éloigne un chien. Elle ne savait pas que sa jupe était trop courte. Samuel avait beau se forcer, il n'avait pas soif. Il paya ce qu'il devait et quitta le café. Dehors, il pensa qu'il serait agréable, là, à cet instant, d'allumer une cigarette. Il avait envie d'avoir quelque chose dans la bouche, quelque chose de chaud. Alors qu'il ne fumait plus, il retrouva dans sa mémoire le goût et l'odeur du tabac. Il avala une grande goulée d'air frais et traversa la rue. De l'autre côté, les choses et les gens étaient les mêmes.

Bronchowski arrêta un taxi. Le chauffeur avait une tête désagréable, hostile, une tête d'homme qui voit défiler sa vie dans un rétroviseur. La voiture, mal entretenue, dégageait une odeur déplaisante. La radio couvrait le bruit du moteur. Le chauffeur dit : « On va où, monsieur ? » Bronchowski hésita, puis répondit : « Au cimetière. »

Maria était au bout de l'allée, quelque part vers les

arbres du fond, sous la terre, parmi les autres et avec eux. Il allait pleuvoir sur son ventre. Bronchowski espérait que l'averse ne durerait pas. C'était la première fois qu'il allait dans un cimetière la nuit. Cela n'avait rien de très impressionnant. Il avançait entre les croix et parmi les morts. Au loin, on entendait le bruit de la vie et celui de la ville, deux bruits bien différents.

Samuel marchait vers sa fille. Comme avant l'escalier et la rampe, comme avant les marches et la peau livide qui refroidit lentement. Il aurait aimé être un chien et retrouver Maria au flair, fouiller la terre de ses pattes et creuser le sol. Et puis, avec la gueule, retirer un os blanc, un os d'enfant, quelque chose qu'il avait jadis serré dans ses bras.

Il pleuvait. Dans sa poche, Bronchowski tenait les clefs de son appartement. Entre ses doigts, le métal s'était réchauffé. Cela lui faisait une présence. Sur les tombes, l'eau ruisselait.

Quand le père s'arrêta devant l'enfant, il ne se passa rien. Rien qu'un peu de temps.

En quittant le cimetière, Samuel remarqua que les rues étaient désertes. Dans les immeubles, toutes les lumières étaient éteintes. Des hommes, des femmes devaient y dormir. Samuel imagina leur respiration régulière, leurs lèvres entrouvertes. Il n'aimait pas le sommeil. Ses joues étaient brûlantes. Il écoutait le bruit de ses pas.

Il entra dans son appartement sans allumer la lumière. Sa peau avait la pâleur de la pluie. Dans la cuisine, il mit ses mains sous l'eau chaude. Les manches de son imperméable trempaient dans le jus de l'évier. La canalisation faisait un bruit infect, comme un poumon engorgé. Il ouvrit la porte du réfrigérateur. La lumière diffusait un éclairage froid. Tous les compartiments étaient vides. Samuel ferma les yeux, sentit que quelque chose remontait vers sa gorge. Il ne tenta rien, se laissa envahir par les spasmes et vomit sur le carrelage. Cela dura longtemps. Les deux mains posées par terre, la tête inclinée vers le sol, à quatre pattes, il dégueulait comme un chien.

Quand Samuel ouvrit les yeux, il faisait jour. Sa chambre sentait mauvais. Une odeur qui revenait toutes les nuits, une odeur qui sortait de ses poumons, de sa peau, ou bien des murs. Maintenant, il était réveillé, mais il fallait du temps pour contraindre son esprit à l'idée d'une nouvelle journée. Ainsi allongé, son corps et sa vie ne lui pesaient pas, tout était encore facile. C'est quand il ferait un geste que l'existence se compliquerait. En attendant, il se sentait encore à l'abri.

Samuel ne travaillait plus depuis la mort de sa fille. Autrefois, il avait eu un métier, à la fois simple et compliqué, parfois dangereux pour l'âme, un métier où il était facile de se perdre, mais qui lui permettait de gâter son enfant et de rêver, le dimanche, près d'elle, devant les fenêtres. Ce matin, Bronchowski repensait à Gloria. Gloria était la mère de Maria. Cela ferait bientôt deux ans qu'elle était partie, deux ans qu'il essayait de la retrouver pour lui dire que leur fille était morte. Il voulait seulement qu'elle sache cela, que Maria était morte. Samuel se souvenait du jour où Gloria les avait quittés. C'était en hiver, dans le sud de l'Espagne, un matin, de bonne heure. Il avait encore dans la tête l'odeur de l'hôtel. Un hôtel au bout d'une rue blanche. Il avait regardé s'éloigner Gloria. Il avait conservé dans son souvenir tous les détails de sa peau, la couleur de ses vêtements. A un moment, elle avait même dit son nom, très fort, et il s'était retourné. La voiture avait eu du mal à démarrer. Dans la chambre, Maria dormait.

La radio donnait des nouvelles. Un homme avait été abattu au volant de sa voiture. C'était facile de tuer quelqu'un, il suffisait de se sentir seul, de ne pas penser et de fermer un œil.

Le jour entrait par la fenêtre, et Bronchowski demeurait dans son lit, les yeux ouverts. Derrière le plafond blanc, il devait y avoir Maria, Gloria et l'Espagne tout entière, avec ses chambres d'hôtel donnant sur la mer et ses jetées de solitude. « Quand elle a dit mon nom, je me suis retourné », pensa Samuel. Maria n'avait jamais su tout cela. Elle était partie quelques mois plus tard. Avant de poser des questions auxquelles il n'aurait jamais eu le courage de répondre. En un sens, la mort de la petite lui avait évité l'effort de rendre sa vie présentable.

Samuel regardait le plafond. Le lit lui tenait chaud. Deux ans qu'il vivait ainsi. C'était comme une longue maladie.

La rue faisait un bruit de pneu mouillé et de semelle sale. C'était un jour sans vie. Samuel quitta la chambre et vint s'asseoir face à la table. Avec la pointe d'un couteau, il remua lentement les restes de la veille qui traînaient encore dans son assiette. C'était bien de la viande morte. Il but un verre d'eau et passa ses mains sur son visage. Il ne le frictionnait pas ni ne le caressait. On aurait dit qu'il le remodelait avec ses doigts. Il alluma la télévision, et des paysages aux couleurs saturées s'installèrent calmement sur l'écran. Il coupa le son. L'image était fixe comme un clou dans le mur.

Quand le téléphone sonna, Samuel ne fut pas surpris. Il laissa aller cinq sonneries. Il laissait toujours aller cinq sonneries.

La conversation n'avait pas été longue, mais l'essentiel avait été dit. Bronchowski ne connaissait pas le visage de l'homme qui avait parlé, mais sa voix, en revanche, lui était familière. Une voix calme qui, depuis la mort de Maria, indiquait des noms de ville et de pays où l'on avait aperçu Gloria. Une voix consciencieuse, discrète, neutre. Avant de raccrocher, elle répétait toujours la même phrase : « J'espère que ces informations pourront vous aider à retrouver votre femme. Mais, vous le savez, le monde est grand et les êtres si petits. Prenez soin de vous, monsieur Bronchowski. »

Depuis que le téléphone avait sonné, Samuel était redevenu un homme comme les autres, avec des horaires, une pensée et un but. Il ne lui manquait qu'une petite fille.

Dans la glace de la salle de bains, il examinait son visage, les cernes de ses yeux, les cernes d'un homme qui a passé trop de jours de sa vie à regarder les plafonds. Il lui fallait faire une valise, enfiler des habits frais et partir à l'autre bout du monde fouiller des rues et des hôtels. Là-bas, il ferait beau et la mer serait à deux pas. Samuel se voyait déjà face à Gloria. Il lui disait : « Maria est morte. Elle est morte en montant l'escalier, quelques mois après ton départ. » Il ne disait rien d'autre. C'était bien suffisant. Une fois qu'il aurait prononcé ces phrases, que son annonce aurait été faite, peut-être, alors, reprendrait-il l'avion avec un visage plus jeune. C'est seulement quand il reviendrait dans cette pièce, quand il poserait ses bagages, qu'il verrait la différence dans ce miroir. Son travail serait ainsi achevé. Il passerait un peu d'eau sur son front et irait sans doute s'allonger sur le lit, les mains sous la nuque. Le plafond lui tiendrait à nouveau compagnie, derrière, il y aurait toujours l'Espagne, à ceci près que, quand Gloria dirait son nom, il ne se retournerait pas.

L'avion faisait un bruit reposant. Comme une respiration de convalescent. La carlingue était plongée dans la nuit. C'était un instant agréable. Près du hublot, Samuel avait regardé la lumière décliner en pensant à la porte d'un réfrigérateur qui se referme. Dehors, il faisait froid et noir. En bas, des hommes devaient être couchés sur le dos, les mains croisées sous la nuque, les yeux grands ouverts sur un plafond, ignorant que, là-haut, dans un avion, passait quelqu'un qui les comprenait. Qui ne les aimait pas, mais qui les comprenait. Surtout les plafonds.

Une hôtesse apporta à dîner. Samuel n'avait pas faim. Son voisin, lui, avalait son repas avec le vrombissement d'un moteur à hélice. Sa bouche vibrait de toutes parts et finissait par sentir le kérosène. Cet homme déchiquetait les aliments, renversait les sauces et les condiments. Des liquides jaunes et gluants tanguaient sur son plateau.

Ses yeux avides pendaient comme deux crachats. Il sauçait dans les assiettes, on eût dit qu'il mastiquait avec ses paupières. Sa langue épaisse, large comme un gros bras rose, se faufilait dans les recoins pour laper les restes.

Il faisait aussi des réflexions à voix haute sur la nonchalance des stewards et l'insuffisance des lumières de plafonnier. Il lui arrivait de se tourner vers sa femme et de lui demander si elle n'avait besoin de rien. En réalité il surveillait si elle terminait bien ses plats. Quand il eut fini de lécher le dernier abcès de ses jus, il alluma une cigarette sans filtre et posa un regard digestif sur Samuel. Ses yeux ressemblaient à deux œufs au plat percés. Un peu de gras dégoulinait à la commissure de ses lèvres. Il tétait plus la fumée qu'il ne l'aspirait. Sa langue humide et flasque faisait un bruit de botte s'enfonçant dans la vase. L'hôtesse le débarrassa de son plateau. L'homme regarda la cendre de son mégot s'écraser sur son pantalon, renifla deux fois et se mit à parler.

— Dix ans. Dix ans j'ai vécu là-bas, parmi la vermine et les rats. Et, croyez-moi, dix ans dans ces conditions, c'est long. Vous allez voir cette odeur. Vous n'avez pas peur des odeurs ?

Comme Samuel ne répondait rien, il insista :

— Je vous demande si vous n'avez pas peur des odeurs.

— Non, pas vraiment.

— Non, bien sûr. Et pourtant vous reculerez. On recule tous, la première fois. Et on ne s'habitue pas, on ne peut pas s'habituer à ce pays. Ce sont les nuits qui sont les plus terribles. Vous restez longtemps ?

— Je ne sais pas.

— Vous êtes dans les affaires ?

— Si on veut.

— Quel genre ?

— Les assurances.

— Mais il n'y a rien à assurer, là-bas, mon vieux, rien. Remarquez, moi, je vendais bien des huiles, toutes sortes d'huiles. Quand j'y repense... Dix ans, et toutes ces nuits et tous ces jours. Et l'odeur. Et la chaleur. Vous verrez, vous reculerez. On recule tous. Tous, on recule.

Une nouvelle larme de cendre s'écrasa sur son pantalon. Inclinée vers le bas, sa tête digérait dans un demi-sommeil. L'homme transpirait en dormant. Samuel regarda par le hublot un morceau d'immensité noire et glacée. Il aurait aimé sortir sur l'aile et respirer un peu d'air frais. Il aurait aimé aussi que son voisin ne se réveillât jamais. Avec sa veste avariée et ses yeux coulants, ce marchant d'huile visqueux était repoussant. Même ses rêves devaient laisser des auréoles. Bronchowski inclina son siège. Son regard se fixa sur le petit plafond des coffres à bagages. Il ignorait tout de cette surface nouvelle, de cette étendue limitée mais attirante. Il devait en apprendre tous les détails. Ensuite, il pourrait essayer de trouver le sommeil.

Samuel avait froid. Son voisin dormait puissamment et l'avion sentait l'air propre. Un enfant allait et venait dans la travée. Il avait un regard de fou et de grosses lèvres rouges. Il faisait du bruit avec sa bouche. Maria ne se serait jamais tenue ainsi. C'était une enfant réservée, surtout la nuit. Elle dormait avec ses rêves raisonnables. Certains soirs, Samuel venait la regarder dans son lit, la respirer. Elle avait une haleine lactée. L'espace d'un mouvement, il lui arrivait de ressembler à Gloria.

Des jours étaient passés, tant et tant de lunes aussi, et sans cesse Samuel revenait à cette femme. La nuit, ses jambes faisaient encore les cent pas dans sa mémoire. Avec ces jambes-là près de lui, il serait sans doute devenu un autre homme. Un être un peu moins fatigué, un peu plus soigné. Maria, avec son innocence et sa douceur, n'avait jamais vraiment remplacé Gloria.

Maria se servait de ses jambes pour marcher, courir ou monter les escaliers. Et la différence était peut-être là.

— Vous verrez, vous reculerez vous aussi.

Le voisin s'était réveillé, sans doute heurté par le gosse.

— C'est quand ils ouvriront la bouche que ce sera le plus terrible. Regardez bien leurs dents, continuait le marchand d'huile, regardez-les bien, elles sont toutes poisseuses, des fois elles sont rouges, habitées par l'infection et la vermine, et elles ne vous quittent pas des yeux, comme pour vous dire que vous aussi vous finirez ainsi. Les dents de l'Asie ne vous lâchent jamais. La nuit, elles vous mastiquent l'âme, le jour elles vous rongent la peau. Si vous voulez un conseil, ne regardez jamais leurs dents, jamais.

— Pourquoi retournez-vous là-bas ?

— Pour vendre ma maison. Une maison humide aux murs de lèpre, aux fenêtres qui ne ferment plus, aux bois bouffis et rongés, une maison négligée, usée par les moussons, une maison malade, condamnée, mais qui regarde l'océan Indien du matin au soir, qui laisse entrer le bruit de la rue, l'odeur des passants, qui arrête à peine leur regard. Au plafond, il y a de gros ventilateurs avec des pales blanches comme des rames et aux fenêtres des persiennes de bois. Le lit n'est jamais sec et sent le moisi en permanence. Et, la nuit, il y a l'odeur. L'odeur qui remonte d'on ne sait où, de partout, l'odeur de l'Asie, mélange d'épices, de mort et de merde, qui imprègne les vêtements et les murs. Pour me calmer, j'écoute le bruit de l'océan. Son bruit me rappelle l'Europe et ses courses de chevaux. Voilà, cette maison-là, je l'ai vendue.

— Vous avez raconté tout cela au nouveau propriétaire ?

— Je ne l'ai jamais rencontré. Il paraît qu'il exporte des fruits et des fleurs. Il n'aura qu'à payer et il se couchera dans mes draps. Alors il commencera à ne plus dormir, à écouter les bruits, la respiration des gens qui passent, le souffle des chiens et la plainte des hommes et des femmes. Au début, il ira sentir les murs, puis il reniflera son propre corps et, quand il aura la fièvre, il grelottera seul et angoissé face à l'océan. Il aura l'impression qu'autour de lui tout rétrécit, qu'il étouffe, que le monde entier se rétracte, il criera, mais sa détresse se perdra dans celle des autres. Il s'assoupira peut-être quelques minutes, avant de s'éveiller à nouveau en sursaut, un pavé dans la gorge, les lèvres brûlantes et desséchées. Il ira d'une pièce à l'autre pour trouver de l'air, de l'air frais, de l'air propre. Et puis il se mettra de l'eau sur le visage et sur la nuque. Et puis il vomira. Dans la cuvette. A quatre pattes. Il aura le droit. Il m'aura payé pour ça.

A travers le hublot, Samuel devinait les premières clartés du jour. L'avion avait rattrapé le soleil. Le gosse au regard de fou s'était endormi, et le ventre des réacteurs gargouillait toujours. C'était un petit matin dans le ciel. Le voisin de Samuel avait maintenant, lui aussi, les yeux tournés vers le plafond. Peut-être entrait-il une dernière fois dans sa maison pour en éprouver l'odeur, pour retrouver l'océan, le bruit des respirations et toutes ces années passées là. Toutes ces années dont il était fier d'être sorti vivant, toutes ces années sans gloire à négocier de la sueur et de l'huile.

Le voisin était encore au plafond quand l'hôtesse servit le petit déjeuner : du café, de l'orange, de la brioche et quelques tranches de fruits exotiques en salade. Le voisin dit :

— Vous n'êtes pas dans les assurances. Vous pouvez bien me raconter ce que vous voulez, vous n'êtes pas dans les assurances. A force de vivre là-bas, on finit par sentir les hommes. Vous n'avez pas l'odeur d'un type qui est dans les assurances.

Bronchowski esquissa un sourire. Il but une gorgée de café brûlant. L'homme aux yeux jaunes regardait toujours le plafond. Samuel fixa lui aussi les coffres à bagages et demanda :

— Allez-vous réellement là-bas pour vendre votre maison ? Avez-vous seulement une maison ?

Et ils restèrent ainsi, muets et immobiles jusqu'à ce que les roues de l'avion touchent le sol. Dehors, il y avait des arbres, une infinité d'arbres, comme si l'atterrissage avait eu lieu au centre d'une forêt. La porte latérale s'ouvrit, et l'air s'engouffra dans la carlingue. L'odeur était épaisse comme de la graisse. Sur la passerelle, Samuel recula. Le voisin, lui, s'enfonça dans l'infection en riant et répétant : « Ah ! non, bon Dieu ! non, vous n'êtes pas dans les assurances. Je ne sais pas ce que vous venez faire ici, mais vous n'êtes pas dans les assurances. »

Les formalités de douane et de police furent longues. Samuel songea que Gloria vivait dans cette atmosphère. Sa bouche et ses dents devaient en être imprégnées. Maria était peut-être morte à temps. Assis à une table, un homme en uniforme examinait les passeports. Il se tourna vers Bronchowski :

— Profession ?

— Assureur, dit Samuel.

Le voisin sourit en frottant ses yeux jaunes.

Le chauffeur de taxi avait les dents rouges. Il conduisait un bras à la portière en écoutant la radio. Autour de la Wolseley, la foule grouillait comme des vers de vase. Et puis il y avait le bruit, une respiration éprouvante, un craquement de terre, quelque chose d'oppressant. Et les yeux. Les yeux de tous ces gens qui collaient à la vitre de la voiture, des yeux de mouche sur du verre, des yeux qui vous fouillent l'âme et s'agrippent à la peau. Et l'odeur. Celle qui hantait la mémoire du voisin de l'avion, plus envahissante encore. Elle imprégnait tout, les voitures, les animaux, les trottoirs et les regards.

Cette ville était remplie à ras bord, et la venue d'un nouvel homme réduisait d'autant l'espace de vie des autres. Derrière les glaces de la voiture, Bronchowski était pétrifié et en nage. Son corps suintait, mais il ne bougeait pas. Il écoutait, regardait et sentait. A chaque tour de roue, le chauffeur appuyait sur le klaxon pour que s'écarte le magma obstruant la rue. On eût dit que ces êtres égarés dans la poussière et la lumière n'avaient aucune destination, que ce peuple avançait parce que c'était la règle. Les immeubles et les maisons ne ressemblaient à rien. Les premiers étaient le plus souvent inachevés, les secondes desquamaient comme des peaux mortes. Les toitures de tôle rouillée pendaient aux coins de rues étranglées ou d'avenues inachevées. Tout cela n'avait aucun sens.

— L'hôtel est encore loin ? demanda Samuel.

Le chauffeur répondit qu'il restait encore un quart d'heure de route. Bronchowski s'épongea le front, inclina la tête sur le dossier, eut une pensée pour Maria et Gloria, puis ferma les yeux. Il croyait avoir vu l'essentiel.

2

QUELQUES ODEURS AVANT L'ORAGE

La chambre donnait sur l'océan. Le personnel d'étage avait déposé une orchidée fraîche sur les draps. Le climatiseur débitait. Il faisait froid, un froid de réfrigérateur. Samuel, saisi dans sa sueur glacée, ne percevait aucun bruit, aucune odeur, sauf, par instants, des effluves de fruits. Une musique fade et délébile que l'on imaginait interprétée par un orchestre d'aveugles se répandait dans la pièce comme un parfum d'ambiance. Bronchowski, en découvrant ce lieu si différent, si éloigné de ce qu'il venait de traverser, eut l'impression d'être entré dans une salle d'attente de la mort, tant il avait le sentiment que, à la fin, on doit traverser une pièce comme celle-ci, une pièce propre, lisse, percée de grandes baies fixes donnant sur la mer ou sur le ciel, une pièce fraîche et apaisante pour espérer l'éternité.

Quelqu'un frappa à la porte. Samuel regarda sa montre, puis son visage dans la glace, et ouvrit. Un homme jeune portait une tasse et une théière. Il s'avança avec des pas menus, féminins, déposa la boisson et ressortit en s'inclinant. Dans le couloir, des gens circulaient sans se parler, sans se regarder. Dans cet univers feutré, Samuel ne se sentait pas à son aise. Tout bien considéré, il s'apparentait davantage aux fourmis qui grouillaient dans les rues. Il n'était ici que de passage. Sa vraie place se situait là-bas, au-delà de l'océan, dans son appartement médiocre. Seul, entre le téléviseur et le téléphone, à attendre qu'on sonnât.

Sur le grand lit blanc, son corps ressemblait à une tache. Dans le haut-parleur, les violonistes anonymes jouaient toujours dans le vide. Par instants, le visage de Samuel semblait se contracter, puis, lentement, sa peau se détendait comme un élastique. Il ne rêvait pourtant pas. Son sommeil était noir, agité, mais dépeuplé. Puis ses yeux s'ouvrirent, ses yeux seulement. Un long moment, ils demeurèrent accoudés au plafond occupés à essayer de retrouver un bout d'Espagne. Ils s'efforçaient de reconstituer les dernières images de Gloria. Ce matin-là. Quand elle avait dit son nom et qu'il s'était retourné. Maintenant Samuel pensait à l'homme de l'avion, il l'imaginait tournant la clef dans la serrure de sa maison. A l'intérieur, rien n'avait changé, rien n'avait été déplacé et la rue passait toujours au ras des fenêtres. Les gens aussi. Quant à l'odeur, elle commençait à faire des auréoles sur le mur.

Samuel se leva et se dirigea vers la salle de bains. La baignoire était si vaste qu'il aurait pu s'y noyer. Les canalisations ne faisaient aucun bruit et l'eau aérée des robinets était fortement chlorée. Il aspergea son visage. Son teint était pâle. La cuvette des W.-C. avait été désinfectée.

Dehors, la nuit était tombée, et il y avait de plus en plus de monde dans les rues. Il quitta l'hôtel et remonta une longue avenue. Des gens le frôlaient ou s'agrippaient à ses vêtements en lui parlant avec des mots qu'il ne comprenait pas. Leurs visages étaient luisants, cuivrés, et leurs dents, noires et ébréchées comme de vieilles tasses. Bronchowski apercevait leurs langues rouges qui se débattaient dans leurs bouches comme des serpents. Les plus âgés lui prenaient le bras, tandis que les plus audacieux tripotaient son pantalon. Ils espéraient de quoi fumer ou manger. Ils espéraient un miracle. Avec ménagement, Samuel essayait de se défaire de ces emprises multiples, mais de loin, il ressemblait à un insecte prisonnier d'une toile d'homme. Il ne prononçait pas une parole. Ne se débattait pas. N'exprimait aucun geste d'énervement. Non, il tentait seulement de s'extraire. Il n'y parvint qu'en traversant l'avenue en courant. Son visage ruisselait comme une automobile sortant du lavage. Il sentait battre son cœur dans sa gorge. Comment Gloria pouvait-elle vivre ici ?

Il entra dans un petit restaurant. L'air y avait la consistance d'un gâteau, et les clients s'épongeaient régulièrement avec leurs serviettes. Une femme s'avança et lui demanda s'il préférait prendre son repas dans la salle ou dans la cour intérieure. Il dit qu'il aimait mieux manger dehors. On l'installa près d'un petit arbre où était accrochée une lampe. L'océan était quelque part derrière son dos. De sa place, il pouvait voir toutes les tables, la porte des toilettes et celle des cuisines. Il n'y avait que peu de différences entre les deux.

Elle traversa le restaurant et prit place à la table voisine de la sienne. Elle portait une robe légère au tissu imprimé et des chaussures à talons. Le directeur du restaurant se présenta devant la dame et, avec beaucoup de déférence, la salua d'une légère inclination du buste. Elle lui répondit d'un sourire. Puis l'homme dit : « Nous sommes très honorés, madame. J'espère que votre soirée sera des plus agréables. » Après avoir de nouveau salué, il s'éloigna. La femme avait gardé la même pause désinvolte, à la fois convenue et absente. Comme s'il était coutumier qu'elle fût traitée avec de pareils égards, comme si la modestie de l'endroit ne devait atteindre en rien les conventions du protocole. Samuel observait tous les détails de ses vêtements et de sa peau. Les deux étaient également soignés. Il analysait les formes de son visage, les ombres de son maquillage et les ridules de l'âge. Elle ne semblait pas souffrir de la moiteur. Ses jambes et son regard étaient immobiles. Samuel se dit que cette femme savait attendre. Savoir attendre était pour lui une qualité majeure. Un signe de race, une marque de noblesse réservée aux princes de la solitude. Comme s'il n'y avait rien de plus humiliant que de montrer son impatience, rien de plus dégradant que de dévoiler son ennui. A vivre des années entre un téléviseur muet et un téléphone qui ne sonne pas, on apprend vite ces choses. Et l'on finit par mesurer le temps à la lumière du jour. Cette femme, assise là, les jambes croisées et les lèvres jointes, cette femme était sans doute d'une autre sorte. Elle devait attendre un homme ou un train avec le même détachement, convaincue que les deux ne pouvaient qu'arriver à l'heure.

Un léger vent venait de l'océan. Bronchowski était troublé par sa voisine. Il se tenait près d'elle et se sentait loin de tout. Il eût aimé passer ses mains sur ses vêtements, sentir ce linge frais et sans doute parfumé, il eût aimé qu'elle fût silencieuse, complice et à la fois distante, qu'elle persistât dans son absence et sa froideur pendant qu'il la détaillerait de ses doigts.

Il dîna de trois fois rien. Quand la femme partit, il entreprit de la suivre. La pensée de retrouver sa chambre de glace et les violons d'ambiance l'incitait à différer l'heure de son coucher. Dehors, les rues étaient plus calmes, et des gens dormaient recroquevillés sur les trottoirs. Il y avait aussi des yeux qui vous observaient. Des yeux qui ne vous lâchaient pas, des yeux dont vous sentiez le globe humide vous rouler dans le cou ou sur la nuque. La femme avançait d'un pas égal. Elle tourna au coin d'une ruelle mal éclairée et pénétra dans un petit immeuble sans caractère. Bronchowski demeura en bas, attendant qu'une lumière s'allume. Toutes les fenêtres restèrent noires. Il pensa qu'elle avait dû s'allonger tout habillée. Il pensa la première chose qui lui vint à l'esprit. Il n'avait pas la tête à réfléchir.

Samuel n'avait pas sommeil. Il marchait le long de l'océan. Sur la promenade il y avait un grand restaurant. Derrière des colonnades, Bronchowski distinguait des tables avec de petites lampes de verre posées sur chacune d'entre elles. Les hommes portaient des vestes claires et les dames des robes longues en voile. A côté des plantes vertes, il y avait un pianiste qui ne levait jamais la tête, qui ne regardait personne, qui n'écoutait que lui. Il jouait à la perfection de longs morceaux d'ennui. Il y mettait toute son application. La musique, en prenant bien garde de ne rien déranger, se faufilait sur les tables entre les verres et les conversations. Une femme riait un peu plus fort que les autres en mettant sa main devant sa bouche. Le personnel de service était attentif et tentait de donner du style à ses prestations. Tous ces gens ne semblaient pas vraiment se distraire. Du trottoir, parmi les dénudés, les chiens errants et la chaleur, Samuel les regardait.

Bronchowski ne dormait pas. Il était allongé, mais ne dormait pas. Le plafond de sa chambre n'avait aucun intérêt. Il offrait une surface lisse, fade, sans le moindre raccord. Comme une nappe de ciel. Bronchowski ne dormait pas. Il écoutait transpirer ses pieds. Ses chaussettes chaudes et humides collaient à ses chairs. La pièce était noire, Samuel en profita pour fermer les yeux. Il aurait aimé rêver à l'Espagne à celle qui avait dit son nom ou encore à Maria. A tout cela, oui, il aurait aimé rêver. Mais son esprit ne semblait se préoccuper que de l'homme de l'avion, de sa maison infecte et de cette ville disloquée par les fourmis aux yeux rouges qui grouillaient dans les rues.

Il était trois heures du matin quand Samuel alluma. Assis sur le lit, le regard déchiré, brûlant, la bouche et les lèvres tétanisées, la peau froide, blanche et mouillée, il respirait. Après ce qui venait de lui arriver, il s'estimait heureux. Pendant son sommeil, il avait ressenti une déflagration dans sa tête. Une explosion sourde, comme si sa boîte crânienne avait sauté sous la pression de son cerveau. Il se souvenait ensuite d'avoir crié en cherchant dans le noir le commutateur électrique. Maintenant il grelottait, écartelé, dans le jus de ses peurs. Il avait le sentiment de s'être arraché à la mort. Il avait sauvé sa vie d'un bond, d'un soubresaut. Ce soir il s'en était sorti. Mais il restait demain, et toutes les autres nuits. Samuel, bien sûr, repensa aux paroles de l'homme de l'avion. Ses mots surnageaient dans sa mémoire comme une flaque d'huile : « Il s'assoupira quelques minutes, juste quelques minutes, avant de s'éveiller en sursaut, un pavé dans la gorge, les lèvres tremblantes. »

Bronchowski avait un goût infect dans la bouche. Des images confuses s'agitaient dans son esprit. La femme du restaurant, le pianiste d'ambiance, la musique sous les colonnades, tout cela se mélangeait en une sorte d'écœurante rémoulade. Il se leva d'un bond. La porte du cabinet de toilette était ouverte.

Son visage trempait presque dans l'eau de la cuvette. Il vomissait, la gorge tendue, à quatre pattes, comme un chien.

Ce n'était pas la lumière du jour qui l'avait réveillé mais la moiteur. En tournant la tête, de son lit, Samuel pouvait voir l'océan. Le ciel était gris, et il pleuvait des paquets d'eau tiède. Dans le taxi qui le menait en ville, Samuel remarquait que le chauffeur conduisait sans avoir recours aux essuie-glaces. La vieille Austin Minor prenait l'eau par le plancher. Au-dehors, le monde avait les couleurs d'un marécage. Bronchowski prit sa tête entre ses mains et murmura : « Bon Dieu, dans quelle ville sommes-nous ? » La voiture s'arrêta devant un immeuble délabré. Au rez-de-chaussée il y avait un marchand d'alcool. Samuel monta deux étages et frappa à une porte sans poignée. Une femme au visage humide entrouvrit et appela quelqu'un dans la pièce d'à côté. Un homme encore jeune fit entrer Samuel et dit :

— Nous avons été prévenus de votre visite. Tout est préparé, nous vous attendions.

L'homme, sans méchanceté, écarta du pied un vieux chien et conduisit Samuel dans une pièce où dormait un bébé. Une pièce qui sentait l'égout, l'urine et la pluie. La lumière affadie qui coulait des vitres éclairait l'enfant d'une lueur suspecte. En ouvrant le tiroir d'un vieux bureau, l'homme dit : « Tout est là. Tout ce que nous avons pu recueillir sur la femme que vous recherchez est là. Prenez votre temps pour lire. Si vous avez besoin d'un document, prenez-le. Tout est payé. Quand vous aurez terminé, frappez à la porte. »

Samuel se passa une main sur le visage. La moiteur constante de sa peau lui était devenue insupportable. Il ouvrit le dossier. Il y avait des dates, des noms, des adresses, des rapports et deux photos de Gloria. Elle semblait amaigrie. Fatiguée et amaigrie. Samuel parcourut les documents. Des fragments de vie sans consistance, des bouts de journées inachevées, les minutes de quelques moments privés abandonnés dans une ville à la dérive. On n'avait pas revu Gloria depuis deux mois. Selon le service d'immigration, elle était toujours dans le pays, mais elle semblait avoir quitté la cité. Le type qui vivait là ignorait tout du passé de Samuel. Il était une sorte de correspondant de la voix du téléphone. Celle-ci lui demandait de recueillir le maximum de renseignements sur une femme, et lui se mettait au travail. Il fouillait les bars et les trottoirs, les hôtels et les pensions. Au bout du compte il récoltait de quoi gagner sa vie pour quelques semaines de plus. Maintenant, il se contentait de dire : « Si vous avez besoin d'un document, prenez-le. Tout est payé. » Il ne voulait pas savoir de quoi le monde était fait ni si, éventuellement, quelqu'un avait dans l'idée de le défaire.

Dans la pièce voisine, la vieille parlait à voix basse, comme pour ne pas déranger. Bronchowski rassembla toutes les feuilles éparses, se leva et se dirigea vers le nourrisson qui dormait. La peau de l'enfant était transparente, et sous sa pâleur on devinait les sentiers bleus de ses veines. En le regardant, Samuel n'éprouva rien, aucun sentiment, aucune émotion. Tout au plus trouva-t-il le bébé chétif.

« Vous emportez tout ? » dit l'homme, en voyant les documents sous le bras de Samuel. Il fit signe que oui. La femme se glissa dans l'autre pièce, le chien aux yeux mauves souleva lourdement sa tête et rentra sa langue dans sa gueule. Dehors, la pluie avait cessé et les gens marchaient dans la boue. « Je peux avoir un taxi ? » demanda Samuel. Le type regarda la femme qui avait réapparu. De la tête, elle fit signe que non.

De sa chambre, Bronchowski regardait la rue. En bas, les voitures enfonçaient leurs pneus dans des flaques jaunes et terreuses. L'après-midi finissait dans une atmosphère de film scandinave. Tout baignait dans l'attente et la langueur. Même le temps paraissait rôder. Samuel, le front contre la vitre, mesurait l'étendue du travail qui lui restait à accomplir avant de retrouver Gloria et la paix. La voix du téléphone lui revenait en mémoire : « Le monde est si grand et les êtres si petits. »

Samuel s'allongea et laissa flotter ses idées. Celles-ci, lentement, dérivaient vers la femme du restaurant. A l'heure qu'il était, elle aussi devait être étendue sur son lit, légèrement vêtue, la peau collante de transpiration. Lentement, elle allait vers la fenêtre flairer cet univers détrempé qui clapotait devant sa porte. Puis elle revenait se coucher en écoutant le tumulte qui l'environnait. De tous les bruits informes qui remontaient jusqu'à sa chambre, il s'en dégageait un, celui de l'eau dans les conduites qui crachaient sur le trottoir. Elle ramenait ses cheveux en arrière, repliait ses jambes et fermait les yeux. C'est ainsi que Bronchowski voyait la femme du restaurant. C'est du moins ainsi qu'il voulait la voir. Semblable à lui.

Samuel mit une veste et descendit au bar de l'hôtel. Il y avait du monde, essentiellement des hommes. Bronchowski observa les clients puis commanda un soda. Un peu plus tard, il s'adressa au barman : « Vous pouvez me dire pourquoi il y avait tant de policiers en ville, aujourd'hui ? » L'homme fit semblant de n'avoir pas entendu et continua de passer son éponge sur le comptoir. Puis il se rapprocha de Samuel :

— Je ne peux pas vous répondre, monsieur. Je n'en ai pas le droit, on n'a pas le droit de parler de cela dans l'hôtel.

— Parler de quoi ?

Le garçon marqua un nouveau temps, vérifia qu'il était bien seul parmi ses verres et ses bouteilles, que nul ne pouvait l'entendre, et, se penchant vers Bronchowski, murmura :

— De la guerre, de la guerre civile.

— Quelle guerre civile ?

— Vous restez longtemps ici, monsieur ?

— Quelque temps.

— Alors vous la verrez. Vous la vivrez. Elle est là, elle arrive, tous les jours un peu plus proche. Peut-être ce soir, peut-être demain, peut-être l'autre semaine. Si vous restez, vous la verrez. Il ne faudra pas sortir de l'hôtel, il faudra demeurer ici. Ici, il n'arrive jamais rien. Dehors, il y aura beaucoup de morts.

— Et vous, vous ferez quoi ?

— Comme toujours, je laverai mes verres derrière mon bar. Simplement, je monterai la musique un peu plus fort.

— Et si l'hôtel est attaqué ?

— L'hôtel n'est jamais attaqué. L'hôtel est en dehors de tout ça. L'hôtel, c'est une autre planète. Vous ne me demandez pas pourquoi il va y avoir une guerre civile ?

— Non.

— La vie de mon pays ne vous intéresse donc pas ?

— Non.

Un type qui riait tout le temps s'installa au bar. La femme qui l'accompagnait portait des bas.

Samuel regardait le plafond de sa chambre en redoutant la nuit. Il repoussait l'heure du sommeil. Il avait dîné dans un restaurant proche de l'hôtel et traîné ensuite dans les rues. Maintenant, il attendait. En bas, des voitures de police roulaient au ralenti. Parfois, un cri d'homme ou de femme, un cri lointain, étouffé réveillait le noir, puis tout redevenait calme. Sur le parking une voiture éteignit ses phares. Samuel s'endormit.

Sa montre indiquait trois heures. Trois heures précises. Cassé en deux sur son lit, couvert de sueur il grelottait et gémissait faiblement. De nouveau, dans son rêve, sa tête avait failli exploser. Au dernier moment, il s'était agrippé aux draps, comme on saisit un bras. Il ne lui restait plus qu'à vomir. Comme hier. Comme demain. Comme toutes les autres nuits, à trois heures précises, un peu après que, sur le parking, une voiture eut éteint ses phares. Ensuite, il se recoucherait dans ce lit humide souillé par l'angoisse, peu à peu la fatigue apaiserait sa fièvre et lentement le jour se lèverait.

Samuel se dirigea vers la salle de bains, enfila un peignoir et ferma la porte.

La pluie tombait comme jamais. Le taxi klaxonnait. Ce matin, la lumière était encore plus sale que la veille, encore plus délabrée. Il y avait des policiers partout. Ils marchaient sous des capotes de toile enduite. Autour d'eux, la foule avançait en tous sens. Dans l'eau et la boue, les pieds faisaient un écœurant bruit de succion. Au bout d'un parcours que Samuel trouva interminable, la voiture s'arrêta devant une vaste maison de bois. Sa couleur, aujourd'hui indéfinissable, avait dû, autrefois, être verte. Sur la porte, il y avait une plaque de plastique noir et un nom en lettres jaunes gravé dessus : « S. M. Senanakaye ». Bronchowski frappa, et un adolescent vint ouvrir. Il s'inclina et fit signe à Samuel d'entrer. C'était une grande pièce, très sombre, avec des persiennes closes. Le mobilier était lourd, omniprésent, étouffant, les sièges recouverts de draperies chaudes et laineuses. Au fond du living, dans l'ombre, un homme était assis dans un fauteuil de cuir. Il dit : « Vous êtes Bronchowski, Samuel Bronchowski. Je suis S. M. Senanakaye. »

L'enfant qui avait accueilli Samuel vint se rasseoir aux pieds du vieil homme comme un chien docile. « Lui, continua Senanakaye, c'est mon petit animal, mon petit animal dressé. »

Le gosse posa sa tête contre le genou de son maître et reçut en retour une caresse affectueuse.

— Voulez-vous du thé, monsieur Bronchowski ?

L'homme ne s'était pas levé. Son visage restait dans le noir et sa voix monocorde remontait du plus profond de sa gorge.

— Va faire du thé, mon petit, murmura Senanakaye. Puis il se leva, tourna le dos à Samuel et regarda la rue au travers des lamelles de bois.

Bronchowski ne bougeait pas. Il attendait sans rien dire. D'après le rapport, Senanakaye était l'homme qui, dans cette ville, avait le mieux connu Gloria. Peut-être même savait-il où elle se trouvait à cette heure-ci.

— Avez-vous fait bon voyage, monsieur Bronchowski ? reprit le vieux, les yeux toujours tournés vers le dehors.

Dans la pièce voisine, l'adolescent allait et venait. Il ouvrait des tiroirs, les refermait et semblait gratter quelque chose contre une râpe. La pluie s'écrasait sur le toit de tôle.

— Que pensez-vous de ces rues, de cette ville ? demanda Senanakaye en se retournant. N'est-ce pas trop étourdissant ?

Samuel distinguait maintenant le visage de l'homme. Il était lisse, humide, gras et semblait gonflé par une mauvaise sueur. Des veines mauves tachaient le blanc de ses yeux, et ses lèvres cyanosées, pastel par endroits, viraient, à d'autres, à l'indigo.

— Vous ne dites rien, monsieur Bronchowski ?

— Vous savez parfaitement pourquoi je suis ici. Je ne vous demande rien d'autre qu'une adresse.

— Vous êtes trop pressé, monsieur Bronchowski. Chez nous, nous disons qu'un homme pressé est un homme déjà mort. Asseyez-vous, je vous en prie. Et parlons.

Samuel ne trouvait pas ses mots. Il était mal dans cette maison close et avait presque le sentiment d'être retenu là contre sa volonté. L'autre s'était retourné et recommençait d'observer la rue par les fentes des persiennes. Ses mains boudinées étaient croisées dans son dos.

— Monsieur Bronchowski, je vous attendais. On m'avait prévenu de votre visite imminente. La femme que vous recherchez est quelqu'un d'exceptionnel. Je sais ce dont je parle, elle a vécu ici pendant près d'un an. Elle se plaisait dans cette maison, jouait avec mon petit animal, lisait des après-midi entiers et me tenait compagnie au dîner. Nous bavardions ensuite jusque tard dans la nuit. Cela a duré une année. Il y a quelque temps, elle nous a quittés. Elle voulait se rendre à l'intérieur du pays. Je lui ai donné un mot de recommandation pour un de mes vieux amis qui vit là-bas. Il s'appelle Bowan, Bawis Bowan. Il est âgé, et sa fortune, inestimable. Il n'a pourtant jamais travaillé. La seule chose qui l'ait jamais intéressé dans sa vie, c'est la botanique. Oui, monsieur Bronchowski, la botanique. Souvent, il aime aussi à recevoir des étrangers en son jardin et leur raconte l'histoire de ses plus beaux arbres. C'est un grand érudit aimé de tous. En tenant compte de la durée du voyage et des quelques arrêts qu'elle avait prévu de faire en chemin, je pense que Gloria sera chez lui d'ici à deux semaines. Vous aimez la boxe, monsieur Bronchowski ?

Samuel se sentait de plus en plus mal à l'aise. De Senanakaye émanait quelque chose d'écœurant. Sa voix, son mépris, son détachement, sa manière de parler de Gloria.

— Aimez-vous la boxe, monsieur Bronchowski ?

— Pas vraiment.

— Sans doute parce que vous ne la connaissez pas. Ce soir, vous êtes mon invité. Je vous emmène au Central découvrir mon combattant. C'est une brute presque parfaite, un démolisseur de visages. Pourtant, quand le sang coule et qu'il frappe encore, j'arrive à lui trouver de la grâce comme à mon petit animal. Savez-vous, monsieur Bronchowski, que nous allons avoir la guerre civile ?

— On me l'a dit.

— On a bien fait, monsieur Bronchowski, on a bien fait.

— Gloria vous a-t-elle jamais dit qu'autrefois elle avait eu une fille ?

— Monsieur Bronchowski, Gloria ne m'a jamais parlé de ces choses-là. Je crois que je n'inspire pas ce genre de confidences. Je m'intéresse très peu à la vie des autres. Il est inutile, en ce qui vous concerne, de vous lancer sur la route avant une dizaine de jours. En attendant, vous devrez patienter, ici, dans cette ville. Vous aimez patienter, monsieur Bronchowski ?

Senanakaye avait le don de poser des questions imprévisibles, des questions malsaines qui appelaient bien autre chose que des réponses.

— Je vois bien, monsieur Bronchowski, que vous êtes un homme qui a l'habitude d'attendre et de se contraindre.

Puis, une nouvelle fois, le vieux se tourna en direction de la rue. La pluie coulait sur les carreaux. Le thé fumait sur la table du salon. Samuel n'avait même pas vu passer le petit animal.

La nuit était tombée d'un coup. Elle n'avait apporté aucune fraîcheur. Dans son fauteuil de cuir, Senanakaye caressait les cuisses de l'enfant qui se tenait debout à ses côtés.

Le vieux sentait la sueur. Sa chemise collait, par endroits, à sa chair. Il fallait être bien jeune pour résister à pareil spectacle.

— Tout à l'heure, au Central, tu resteras tout près de moi. Serré tout contre moi, mon petit. J'aime sentir ton corps, à la boxe. Je suis sûr que ce monsieur Bronchowski me déteste.

L'adolescent se pencha vers Senanakaye et, lentement, caressa ses jambes. Le vieux ferma les yeux.

Dans le hall de l'hôtel, Samuel attendait un taxi. Il avait préféré la boxe à la solitude. Ce soir, il aurait préféré n'importe quoi à la solitude. Dans la voiture qui le conduisait à destination, il revoyait les gestes de Senanakaye, ses manières, sa bouche morte et ses yeux variqueux. Il revoyait l'enfant, l'imaginait couché au côté de ce type essoufflé, souillé de transpiration acide. Tout cela avait quelque chose d'infect. Et pourtant il revenait dans cette maison qui ne s'ouvrait jamais, cette maison tiède comme une compresse, entourée en permanence de types qui marchaient, ignorant que, derrière les persiennes, un homme sale et un petit animal les observaient.

— Bonsoir, monsieur Bronchowski. Aimez-vous la pluie ?

— Je ne sais pas.

— En vous attendant, figurez-vous que je me demandais cela. M. Bronchowski aime-t-il la pluie ? Parce qu'un homme qui aime la pluie est à l'abri de bien des choses. On est allé chercher ma voiture. J'ai demandé à ce qu'on la gare devant la porte de la maison. Je déteste la pluie.

La Borgward tournait rond. Elle était, malgré son âge, en parfait état. On voyait qu'elle avait été parfaitement entretenue. Son odeur était presque agréable. Senanakaye conduisait avec une grande désinvolture, se contentant de diriger le volant et laissant peiner le moteur. Il roula ainsi un bon quart d'heure parmi les embarras. Devant le Central, il y avait beaucoup de monde.

— Ce sera un beau combat, monsieur Bronchowski. Un beau combat. Vous ai-je dit que Gloria m'accompagnait ici, parfois ? Non, je ne crois pas vous l'avoir dit. Aimez-vous les paris, monsieur Bronchowski ?

Surpris par ces questions anodines, Samuel se contentait de faire une moue dubitative. Cela suffisait à relancer la conversation.

— Eh bien moi, monsieur Bronchowski, je vous affirme qu'il y aura du sang, ce soir, beaucoup de sang.

Dans le vestiaire il y avait une odeur de camphre, de liniment et d'embrocation. L'atmosphère était irrespirable. Senanakaye serrait des mains dans les couloirs. L'adolescent ne le quittait pas. Puis, dans l'embrasure d'une porte, Chowney apparut. C'était un être colossal qui semblait bâti avec plusieurs fragments d'autres hommes. Il avait des yeux bouffis et quasiment clos, le nez, aplati, tombait dans une bouche couturée comme une braguette et les oreilles, rétractées, semblaient rongées par un acide. Chowney n'avait plus le moindre sourcil, devait peser deux cent vingt livres et passait à peine sous le chambranle.

— Bonsoir, monsieur, dit Chowney en apercevant son patron. J'ai très envie de frapper, monsieur, très envie.

— C'est bien, Chowney, très bien, répondit Senanakaye. Je suis très fier de toi, on m'a dit que tu t'étais bien préparé.

— Je suis prêt, monsieur. Je n'ai jamais été aussi dur, aussi méchant, je vais vous faire honneur, monsieur.

— Parfait, Chowney. Avec ces poings-là, tu n'as rien à craindre.

— Rien à craindre, monsieur. Avec ces poings-là, je vais tout casser, ces poings-là, c'est de la fonte.

— N'oublie pas que, ce soir, je veux que ça saigne, je veux beaucoup de sang, un beau combat pour convaincre M. Bronchowski qui n'aime pas la boxe.

— Ça saignera, monsieur. Vous pourrez même voir ses os, à l'autre. Je vais faire ça pour vous, monsieur, pour vous et aussi pour votre ami qui n'aime pas la boxe.

— C'est très bien, Chowney. Continue à te préparer. A tout à l'heure. Venez, monsieur Bronchowski, allons prendre nos places.

Samuel titubait. L'odeur du vestiaire, la puanteur des mots, tout cela l'avait étourdi. Quand, un peu plus tard, Chowney monta sur le ring, il vit Senanakaye sourire et se rapprocher du corps de l'adolescent. Au moment où les coups commencèrent à tomber, le gosse passa sa main sur les cuisses du vieux. Les yeux malades de Senanakaye étaient exorbités. Ils attendaient le sang.

Quand il jaillit, la foule montra sa joie. Chowney rentrait ses poings dans le visage d'un autre pauvre type. On aurait dit qu'il lui fouillait la tête. Senanakaye semblait en éprouver de la satisfaction. Il regardait s'ouvrir les chairs comme un livre d'images, avec la même délectation, le même recueillement. L'enfant le caressait toujours, mais l'esprit du vieux était dans la tête de Chowney. Ces directs qui s'écrasaient dans les plaies lui faisaient du bien, le rajeunissaient. Ces directs, il les portait en lui, cette violence était la sienne. La brute n'était que son messager. Quand, là-haut, l'autre s'écroula, Senanakaye ferma les yeux et réprima un léger frisson. Il respira profondément à plusieurs reprises, repoussa l'enfant, puis, parmi les cris de la foule, se tourna vers Samuel :

— N'est-ce pas merveilleux, monsieur Bronchowski ? Ne prenez surtout pas cela pour un combat, vous auriez tort. C'est de l'art, de l'art rouge, comment dire, de l'art humain. Aucun peintre, aucun écrivain n'est jamais parvenu à semblable perfection. Ce que vous venez de voir, monsieur Bronchowski, finira un jour dans un musée. Chowney est une sorte de maître aveugle capable de sculpter la souffrance. Il serait absurde de continuer à voir en lui un boxeur. Allons, voulez-vous, le visiter dans son vestiaire.

Dans le couloir étroit, Samuel avait du mal à avancer. Les gens hurlaient en brandissant des billets. Les paris avaient été nombreux. Quand Bronchowski pénétra dans la pièce, une odeur infecte s'appliqua à son visage. On nageait dans la vapeur, les rires et les cris. Le maître était déjà en train de se faire masser en parlant avec son bienfaiteur :

— Il n'a pas résisté, vous avez vu, il n'a pas résisté. Vous avez vu le sang, tout ce sang, monsieur ? J'ai tenu parole. J'ai fait ça pour vous et pour votre ami qui n'aime pas la boxe. Oui, pour vous et pour votre ami.

— Tu as été merveilleux, Chowney. Et, la prochaine fois, tu seras encore plus éclatant. Tu le sais, tu dois à chaque fois aller plus loin.

— Avec ces poings-là, monsieur, j'irai au bout du monde.

Le vieillard caressa le bras ruisselant de la brute et essuya aussitôt sa main sur sa veste. L'enfant était agrippé à son pantalon.

Sous la pluie de la nuit, la voiture roulait lentement. Des corps frôlaient la tôle ou au contraire s'écartaient vivement des phares. Arrivé devant sa maison, Senanakaye ne descendit pas de son véhicule. D'un air préoccupé, il examina un moment le cercle du volant, puis se tourna vers Samuel :

— Durant le trajet du retour, je me demandais ceci : mais qu'ai-je donc bien pu faire pour que M. Bronchowski me déteste à ce point ?

Samuel, une fois encore, ne sut que répondre. Il regarda l'eau couler le long des vitres, ouvrit la porte et sortit de la Borgward. A l'intérieur, Senanakaye était tassé sur la banquette. Ce soir, il sentait le vieux. Bronchowski, par la vitre entrouverte, dit :

— Je reviendrai demain.

A tous les carrefours, des camions militaires attendaient. Des hommes en armes allaient et venaient. On aurait dit des barbares sous la pluie noire. L'hôtel de Samuel était quelque part, là-bas, vers le sud. Pour y parvenir, il lui fallait traverser à pied cette ville de pestilence, s'enfoncer dans cette fourmilière humide. Les soldats avaient, pour la plupart, des visages ravagés par l'alcool ou la maladie.

Derrière les maisons battaient les tempes de l'océan. Samuel songea alors, curieusement, qu'à cette heure-ci, en Espagne, il devait faire encore jour. Ce pays, il ne pouvait l'oublier. L'odeur de la nourriture et le visage des gens. Les églises de glace et les matins de grâce.

Elle avait dit son nom et lui s'était retourné. Cela suffisait à défaire une vie.

Samuel continuait d'avancer dans ce cloaque vaseux. Il ne sentait même plus la pluie tant il était imprégné d'eau. Soudain, autour de lui, il y eut du mouvement, des cris. Une voiture semblait foncer dans la foule. Une Ford Zodiac stoppa brutalement au ras du trottoir et des hommes en jetèrent un autre par la portière. Il s'écrasa sur le sol comme un sac vide. Le véhicule démarra à toute vitesse en heurtant un chien. Par petits groupes, les gens s'approchaient du corps allongé sur le pavement. Son visage était couvert de sang, et ses lèvres déchirées trempaient dans la boue. Quelqu'un saisit le blessé sous les bras et l'adossa contre un mur. Il gémissait et respirait avec difficulté. Ses mains étaient collées sur sa poitrine, comme pour mieux enserrer le peu de vie qui restait en lui. La foule, en silence, reprit sa marche désordonnée. Samuel aussi.

L'hôtel était noir. Comme un trou jailli de terre. Il n'y avait plus d'électricité. Dans le hall, on entendait à peine les désordres de la rue. Du lointain, on percevait de fortes explosions. Samuel, immobile et seul, regardait vers la ville. La guerre venait de commencer. Une guerre dont il ignorait tout sauf qu'elle se déroulait la nuit et sous la pluie. Il pensa à l'homme du trottoir de tout à l'heure et l'imaginait, inerte, au pied d'un mur. Il avait dû mourir. Ses yeux étaient sans doute déjà jaunes.

— Il ne faut pas rester là, monsieur.

C'était le barman. Il tenait à la main une lampe à pétrole. De l'autre, il prit le bras de Bronchowski comme pour le conduire, le guider en un lieu plus sûr, loin de cette démence qui s'annonçait.

— C'est dangereux, monsieur, je vous en prie.

Samuel se dégagea et fit quelques pas vers l'entrée de l'hôtel. Il entendait maintenant le bruit des fusillades. Parfois, même, le bruit de la mort semblait tout proche.

— Vous ne voulez toujours pas savoir pourquoi les gens se battent dans mon pays ? dit le barman qui s'était approché.

Samuel eut un sourire triste et, de la tête, fit signe que non.

— Vous êtes un homme étrange, monsieur. Tous les autres clients sont enfermés dans leurs chambres, et vous, vous demeurez ici à portée d'un fusil, à écouter sans voir et sans savoir. Vous êtes au bord de l'horreur et vous n'avez pas peur. On dirait que vous n'êtes pas de ce monde.

Bronchowski regarda le visage du barman. Lui aussi était calme, différent de cette ville, de ses odeurs et de ses dents chaudes. L'homme ne baissait pas les yeux et sa peau était sèche.

— C'est arrivé très vite, dit Samuel. Ce soir encore, j'étais à un match de boxe.

— Il y a toujours des matches de boxe, ici, toujours, même pendant la guerre.

Le barman baissa l'intensité de la lampe et quitta le hall.

En ouvrant les yeux, Bronchowski regarda le plafond. Il avait dormi d'un seul trait, de ce sommeil total qui tant ressemble au coma. Il avait dormi sur le dos, à plat, aveugle et sourd aux lueurs et aux bruits de l'émeute.

Dehors la lumière était pâle comme le regard d'un

convalescent. La pluie faisait des rides grasses sur la baie. On entendait encore la rumeur des fusils, loin, vers l'est. Samuel se dirigea vers la fenêtre pour voir à quoi, ce matin, ressemblait la rue. Elle ne ressemblait à rien. Elle était vide de tout, rigoureusement lisse et déserte à perte de vue. Un peu comme si, pendant la nuit, la ville avait fui en emportant avec elle les hommes et la vie. Dans les couloirs de l'hôtel, par contre, on entendait un tumulte inhabituel et confus. Bronchowski décida d'aller voir, mais sa porte était fermée, verrouillée de l'extérieur. D'instinct, il frappa du plat de la main. Il frappait non comme un homme qui désire entrer, mais bien avec la violence d'un type qui exige qu'on le laisse sortir. Cela constitue une notable différence. Derrière le battant, un individu dont il ne voyait pas le visage lui demanda de se calmer et expliqua que tous les clients étaient consignés dans leurs chambres jusqu'à midi. Samuel cessa de taper. Il revint sur son lit, cala bien sa nuque sur ses mains et partit en Espagne. L'air y était léger. Le soleil réchauffait les murs des maisons. Les camions qui passaient sur la route avaient toujours cette peau rugueuse et mal rasée. Ils sentaient le fuel et le légume frais. Gloria fumait une cigarette à bout filtre. Sa peau était claire et reposée. Elle souriait par habitude d'être. Ses bas fins, sur la chair de ses jambes croisées, avaient des reflets d'aquarelle. Bien sûr, tout à l'heure, elle dirait son nom et lui se retournerait, bien sûr, mais cela, c'était à la fin du voyage. Pour l'instant, le jour se levait à peine, et Samuel était tout au bonheur de retrouver Gloria, toujours intacte, accoudée au balcon de sa mémoire. Au bout d'un long moment, Samuel se releva. Il mit sa tête entre ses mains, et ses yeux ne virent plus.

Bronchowski n'avait pas d'autre ressource que d'attendre. C'était son travail. Et la patience, sa force majeure. Il avait compris que, dehors, la mort, pudique, tenait à ce que l'on préserve la sensibilité des étrangers pendant qu'elle besognait dans les ruelles et les quartiers. Bronchowski sortit un livre de sa valise. Il avait un joli titre : *L'Inaccessible Nuit du señor Apparicio Gordon.* Samuel ne lirait peut-être jamais ces pages, mais du moins était-il rassuré de les savoir à portée de sa main. Il feuilleta l'ouvrage et sans raison aucune se demanda quel âge pouvait bien avoir Gordon et à quoi devait ressembler une nuit inaccessible. Peut-être à l'aube d'une ville muette remplie d'hommes enfermés dans leurs chambres en attendant midi. En examinant distraitement le plafond, et même si son sentiment était encore désordonné, Samuel se sentait tout proche d'Apparicio. Il referma le livre, et les yeux en l'air, à la bordure d'une guerre, décida, en espérant l'heure, de revenir vers le pastel espagnol de sa mémoire. Gloria l'attendait toujours à la même place. Elle aussi était d'une grande patience.

Il tombait tant de pluie qu'on distinguait à peine l'océan. Peut-être lui aussi comme les rues s'était-il vidé, avait-il disparu à l'autre bout de la terre pour ne pas voir ce qui se passait ici. De son lit, Samuel entendit que quelqu'un déverrouillait sa porte. Il était midi. Ces gens-là étaient ponctuels. Il ne se leva pas, préférant demeurer encore un peu dans son passé. Puis, au bout d'un moment, ses yeux se déposèrent à nouveau sur le plafond. L'hôtel était vraiment un autre monde.

L'averse avait quelque chose de sublime et d'angoissant. Samuel se leva pour mieux l'observer. Il vit que les rues s'étaient à nouveau peuplées. Elles grouillaient sous les gargouilles. Bronchowski se demandait par quel procédé ils arrivaient ainsi à vider et remplir instantanément cette ville comme un lavabo. Il y avait peut-être, à un bout, un énorme siphon qui aspirait les êtres usés et, à l'autre, un gigantesque robinet qui, à heures fixes, recrachait des hommes neufs. Samuel quitta sa chambre et descendit dans le hall de l'hôtel. La plupart des clients étaient rassemblés au bar et dans les salons. Ils posaient des questions sur la situation, exigeaient d'être renseignés, réclamaient leur consul pour les plus modestes, leur ambassadeur pour les plus fortunés. Samuel, par les baies, comme indifférent à tout ce tumulte, regardait la pluie. Un militaire en uniforme de campagne s'approcha de lui :

— Nous ne pouvons vous interdire de vous rendre en ville, mais nous vous le déconseillons fortement. Les rues peuvent être dangereuses. Il y a encore des émeutes et des tireurs isolés. Vous serez plus en sécurité ici.

— Y a-t-il encore des taxis ? demanda Samuel.

— Je ne sais pas. Mais vous ne devriez pas.

L'averse rebondissait sur la terre en faisant des cabrioles. Bronchowski sortit sous la mousson. La bave du ciel lui coulait dans le cou.

Il finit par trouver une voiture. A l'intérieur, l'air était irrespirable et la tête du chauffeur, immonde. Mais le véhicule avançait, et c'était bien l'essentiel. Il s'immisçait au travers des respirations chaudes et rapides de la foule. Les gens se déplaçaient comme si la guerre les indifférait. Ils se déplaçaient comme tous les autres jours. Le taxi s'arrêta devant la maison de Senanakaye. Samuel hésita un instant à descendre. Il imagina l'odeur âcre du thé, le corps du petit animal tapi dans un angle de salon, le poids des tentures empreintes de transpiration. En frappant à la porte il se demandait encore ce qui avait bien pu le pousser à se rendre, en pleine guerre, chez cet homme repoussant.

— Monsieur Bronchowski, je vous attendais. Entrez, je vous en prie.

Senanakaye était assis dans son fauteuil. L'adolescent, couché en boucle à ses pieds, se reposait en fermant les yeux. Cet endroit était pire que tout. Il était l'épicentre des maladies, des angoisses, des torpeurs, des odeurs et des humeurs. Et que dire de cette permanente promiscuité de chair entre l'enfant déshérité et son protecteur moite, qui, lui, semblait tout connaître des choses et des gens, de leurs intentions et de leur destinée ? Le second caressait nonchalamment les jeunes années du premier. La guerre elle-même ne pouvait rien contre ce lieu. Elle s'arrêtait au seuil et jamais n'entrait. Elle savait que trop de choses inexpugnables l'attendaient ici, trop de forces passives, trop de formes lascives. Malgré sa vigueur, sa détermination, elle n'aurait pas résisté. Et il n'était pas pensable qu'après avoir tué tant d'hommes et de femmes, elle perdît la face devant un vieillard et un enfant soumis.

— Tellement de pluie depuis ce matin, monsieur Bronchowski, décidément vous devez avoir une bien piètre image de mon pays.

Samuel était debout dans l'entrée, ses vêtements collés à la peau. Il passa sa main sur son visage encore ruisselant. Dehors, au travers des persiennes, on entendait le souffle permanent et la marche continue des passants. Cela faisait penser à la reptation d'un serpent.

— Peut-être souhaiteriez-vous un linge pour vous éponger, monsieur Bronchowski ?

Samuel ne répondit pas. Il avait la gorge sèche.

Senanakaye avait tourné son visage vers la fenêtre. Il regardait dans la rue cette lave humaine qui coulait. En vérité, il ne voyait rien ni personne, il vivait comme un étranger dans son propre pays, comme un visiteur indifférent de l'existence. Seul le craquement de ses chairs vieillissantes lui rappelait parfois que lui aussi était soumis aux lois générales de la vie. Son véritable divertissement était d'avilir ceux qui l'approchaient. Avec persévérance et patience, il s'appropriait leur volonté, s'introduisait dans leur tête, commandait à leurs rêves, chloroformait leurs désirs et en faisait des papillons domestiques, des insectes soumis, des morts obéissants.

— Monsieur Bronchowski, vous semblez si peu m'aimer. Croyez-vous vraiment être d'une autre essence que moi ? Croyez-vous inspirer autre chose que de l'indifférence ? Avez-vous vu les rues en venant ici ? Elles sont pleines de gens de votre sorte. Des hommes qui marchent sans cesse et qui cherchent. Ils n'ont pas la moindre idée de ce qu'ils cherchent, mais ils cherchent et marchent. Les plus raisonnables se fixent des destinations imaginaires. A la fin de leur vie, ils ont parcouru le monde et, un soir, ils s'écroulent à leur point de départ. Moi, de mon fauteuil, avec mon petit animal qui me caresse les jambes, je me contente de regarder passer la course. De temps à autre, pour me distraire, je joue avec un homme. Et j'en fais quelque chose. Pas quelqu'un, monsieur Bronchowski, quelque chose. Avez-vous songé combien il pouvait être fascinant, exaltant, de réduire un être, d'en faire un corps dressé qui s'auto-entretient, demeure à la place que vous lui avez assignée, se tait et respire dans le noir ? Cette entreprise-là, voyez-vous, possède une autre dimension que votre quête grotesque, pitoyable et commune. Monsieur Bronchowski, je ne crois pas qu'il soit nécessaire que nous nous rencontrions à nouveau. J'ai mis à votre disposition toutes les informations qui étaient en ma possession et je crois avoir tout tenté pour que votre séjour ici soit le moins inconfortable possible. Je m'aperçois aujourd'hui que mes efforts ont été vains, aussi est-il préférable de ne plus mêler nos existences. J'ignore si vous retrouverez Gloria, mais sachez que lorsque vous serez dans les rues, à marcher et marcher encore, je serai ici, monsieur Bronchowski, ici, dans mon fauteuil, derrière mes persiennes, à observer votre avance. Je vous présente toutes mes excuses pour les émeutes et la pluie, mais, au risque de vous décevoir, sachez que je ne commande ni à la folie ni aux nuages.

Senanakaye avait dit tout cela d'un ton presque absent, sans la plus petite animosité, la moindre acrimonie, en regardant ailleurs, au-delà de l'averse, si loin qu'il lui faudrait beaucoup de temps pour revenir jusque dans cette pièce, parmi les ombres moites et près de l'enfant-chose. Dehors, le bruit des explosions avait recommencé. Parfois l'air se mettait à trembler sous l'effet des déflagrations. Samuel quitta la maison sans avoir prononcé une parole. Il avait l'âme humide, encore ruisselante de cet orage humiliant qui l'avait traversé. L'idée qu'il ne reverrait sans doute jamais Senanakaye lui était agréable. Soudain, il se rendit compte qu'il marchait au milieu de la guerre. Un camion militaire s'arrêta au centre de l'avenue. Des soldats en armes en descendirent et, presque aussitôt, commencèrent à tirer sur la foule. Samuel vit des hommes s'effondrer. Mais personne ne criait. Les images étaient muettes. Les gens essayaient de fuir en silence ou se couchaient en enserrant leur tête entre leurs mains. Plus tard, des coups de feu partirent d'un toit, et deux militaires tombèrent au pied du camion. Bronchowski était debout, adossé à un mur. Il ne bougeait pas, respirait la bouche ouverte et repensait aux paroles du militaire de l'hôtel. Il était à peine à une centaine de mètres de la maison de Senanakaye. Il songea à s'y réfugier. Mais il préféra la peur à la condescendance de celui qui devait maintenant observer l'horreur de sa fenêtre sans éprouver le moindre sentiment devant ces corps qui se traînaient dans leurs plaies. Le petit animal devait continuer à sommeiller aux pieds du vieux en attendant que l'averse veuille bien cesser. Oui, ils étaient ainsi, Senanakaye et l'animal, blottis dans leurs souffles, à mourir par petites respirations pendant que des hommes tombaient devant leur porte. Samuel ne pouvait pas bouger. Il n'arrivait plus, tant le feu était nourri, à repérer les tireurs. Il s'accroupit lentement auprès d'une femme défigurée qui s'était effondrée devant lui. Elle était jeune et son corps semblait intact. Samuel regarda la pluie qui ruisselait sur sa robe, s'allongea près du cadavre et, sans savoir réellement pourquoi, lui prit la main.

L'océan était toujours là, peut-être un peu plus mouillé, peut-être un peu plus sale. Bronchowski avait marché longtemps, mais l'hôtel était encore loin. Sa tête lui faisait mal. Il aurait aimé briser cette calotte d'os et fouiller à l'intérieur, enfouir ses doigts dans le bulbe et gratter jusqu'aux souvenirs, gratter comme un animal fouisseur. Oui, il aurait aimé quelque chose comme cela. Il passait devant des maisons construites à la hâte. Le sang rouillé des ferrures dégoulinait sur les façades, et des contrevents rongés dissimulaient toute la misère accumulée à l'intérieur. Ces quartiers ressemblaient à des plaies que viennent lécher les rats. Ces quartiers étaient le centre de cette guerre inconstante qui revenait à heures fixes, comme la marée.

Tout en marchant, Samuel repensait à la villa de Senanakaye. Cette demeure était répugnante à cause de l'homme qui y vivait. A cause de son linge douteux raidi par le sirop de sa sueur, de ses plaisirs humides essuyés à la hâte sur la cotonnade du couvre-lit, de sa cuisine faite de graisse et de poisson mort, de ses déjections délétères semblables à de la confiture d'amibe, de ses rêves goitreux lubrifiés par l'habitude, de son pantalon aux odeurs de toilettes de terminal d'autobus, du jus de ses caries, des bactéries de sa bouche infestant les plâtres, du graillon de son regard jaunissant au fil du temps comme un ongle cassé. Il fallait avoir l'âme lépreuse pour avilir un endroit à ce point.

Maintenant, la pluie entrait en force dans l'océan, mais aussi au travers des vêtements de Samuel. Au coin d'un boulevard, il aperçut le néon de l'hôtel haut perché sur le toit. Un néon qui avait l'air de dire : « Ici, tout est calme, ici, il n'arrive jamais rien et les draps sont changés tous les jours. » Bronchowski se mit à courir. Derrière lui, l'avenue était vide. Très vite, il fut dans le hall. Trois militaires y fumaient en parlant à voix basse. La musique d'ambiance se glissait dans le salon voisin. Les femmes portaient des robes légères, décolletées, et les hommes des vêtements clairs. Il y avait des verres d'alcool et de la glace sur les tables. D'un air détendu, ces gens parlaient de la mort des autres. Samuel se sentait sale. Un soldat s'avança et lui demanda s'il était client de l'hôtel. Bronchowski se regarda dans les miroirs de l'entrée, et, bien qu'il eût du mal à s'en convaincre lui-même, répondit que oui. A l'étage, sa chambre avait été faite à fond.

Cette nuit-là, la guerre fut terrible. Dehors, les explosions battaient avec la régularité d'un cour, et des camions militaires vrillaient la nuit. Dans le coton du ciel, on entendait le bruit des hélicoptères qui surveillaient la ville. De temps à autre, ils allumaient leurs énormes projecteurs puis tiraient une rafale de mitrailleuse. En bas, au coin d'une avenue, un type s'écroulait dans un rond de lumière, un type avec une femme et des enfants qui lui ressemblaient, un type qui n'entendait sans doute rien aux armes et à leur maniement, qui n'avait jamais eu d'autre richesse que ses poumons pour respirer. Oui, cette nuit-là, la guerre fut terrible. Samuel ne trouva pas le sommeil et demeura allongé sur le dos, écoutant les déflagrations mêlées à la musique d'ambiance diffusée par la radio de l'hôtel. Au petit jour, tout redevint calme. Une nouvelle fois les rues s'étaient vidées comme par enchantement, et les affrontements avaient cessé. Les morts avaient été ramassés, et il ne restait plus sur cette ville que la pâle lueur d'une aube épuisée et le ronflement lointain de l'océan qui remuait sous la pluie. Ici, voir se lever le jour était un rare privilège. Samuel regarda vers le ciel avec, en lui, le trouble sentiment du devoir accompli avant même d'avoir rien entrepris.

3

SI SEUL, SAMUEL, SI SEUL

La route était étroite. Samuel observait le chauffeur. Celui-ci semblait inquiet, soucieux. Il regardait devant lui, parfois de côté, parfois dans le rétroviseur comme si, indifférente aux signalisations et aux priorités, la guerre civile pouvait surgir à tout moment de n'importe quel endroit. Entre les séries de virages, avec un chiffon froissé, l'homme qui conduisait essuyait son visage mouillé par la transpiration. Il ne parlait pas. Sur la planche de bord de sa Wolseley il avait collé trois photos. A gauche, ce devait être sa fille, au milieu, sa femme, et à côté, sa mère. A force de se côtoyer ainsi, ces visages présentaient ce même regard humble et tendre, un regard qui ne lève jamais les yeux sur un homme et qui sourit seulement au photographe parce que c'est l'usage. Ces êtres-là n'avaient jamais dû convoiter ou réclamer quoi que ce soit. Ces êtres-là existaient à peine. Bronchowski observait ces images et les trouvait sans vie. Etaient-elles déjà mortes, là-bas, dans les émeutes ? Dans ce cas, le chauffeur était quelqu'un de bien seul. Troublé par cette idée, Samuel le regarda conduire. Il le trouva si appliqué et attentif qu'il en conclut que cet homme n'avait pas tout perdu et qu'il tenait encore à la vie. Les trois femmes avaient dû lui recommander d'être prudent, et lui, comme tous les taxis de longue distance, s'était contenté de remonter la vitre en guise de réponse.

Ils avaient encore une nuit et un jour de voyage. Peut-être deux. Bronchowski refusait de songer à Maria. Il était encore trop tôt. Une fois arrivé, il aurait tout le temps. Pour l'instant, il laissait flotter ses yeux dans la lumière des rizières. Au loin, il devinait de hauts plateaux avec des plantations de thé. Bientôt, le jour allait décliner et tomber ensuite d'un coup. C'était comme cela tous les soirs. Samuel remarqua qu'il ne pleuvait pas. Le chauffeur dit :

— Je connais un vieil hôtel à deux heures d'ici. Si vous le souhaitez on peut s'y arrêter. C'est haut et l'air y est frais. C'est cher, c'est pour les étrangers.

Samuel acquiesça Le chauffeur appuya légèrement sur l'accélérateur et ajouta :

— En plus ce sera calme. La guerre ne monte jamais sur les plateaux.

La chambre était immense et froide. Tout à l'heure, le garçon d'étage avait allumé une flambée dans la cheminée. Dehors la brume enveloppait tout. Bronchowski se reposait allongé sur le lit, les yeux au plafond. Un plafond qui méritait que l'on y consacre du temps. Un plafond à l'ancienne, lisse et laiteux, avec des moulures sur les côtés et une rosace en son centre. Une surface idéale pour réfléchir, c'est-à-dire ne penser à rien. Samuel se sentait bien disposé. Il avait quitté la ville et se retrouvait presque par enchantement au sommet d'une montagne, parmi les plants de thé. Il avait froid. Plus il grelottait, mieux il se sentait. C'était comme si ses chairs, après avoir trempé pendant tant de jours dans des rues aux vapeurs tièdes, se raffermissaient peu à peu, comme si sa peau retrouvait une consistance humaine. Dans cette atmosphère rénovée, assainie, Samuel se sentait soudain propre. Sa respiration était plus libre, son cerveau moins comprimé. Cette chambre froide, cet hôtel glacé étaient une île de grâce dans cette vie de vase. Tout à l'heure, il irait dîner, mais pour l'instant, des yeux, il visitait tous les murs de la pièce. Sur l'un d'eux, près de la porte, était encadré le blason du palace, un ancien club anglais. De cette époque l'établissement avait conservé son architecture et son agencement alangui, un jardin désordonné, un petit golf qui n'était plus entretenu et deux tennis à l'abandon. Il y avait aussi un règlement intérieur affiché à l'entrée de chaque chambre. Un règlement colonial qui définissait à lui seul le caractère de cet endroit abandonné par le temps, les guerres et que la moiteur elle-même avait oublié d'envahir. Le règlement disait ceci : « Article 4 : La tenue vestimentaire est libre, sauf le soir à partir de 7 heures où les hommes devront porter une cravate et une veste dans les couloirs ainsi qu'à la salle de restaurant où sera servi le dîner. Article 13 : Il sera possible de prendre des bains chauds entre 6 h 30 et 8 heures le matin, et entre 16 heures et 20 heures le soir. En dehors de ces horaires il ne sera pas délivré d'eau chaude. » Autrefois, ici, la vie devait être élégante, légèrement ennuyeuse et scrupuleuse. Le manoir n'avait jamais été jeune. C'est pour cela qu'il n'avait pas vieilli. Samuel avait fermé les yeux, il dormait.

A l'heure du dîner, le chauffeur frappa à la porte de Bronchowski, et tous deux, silencieux, descendirent au restaurant. Les tables étaient parfaitement dressées, et l'on avait allumé un grand feu dans la cheminée. La salle était presque vide. Deux couples mastiquaient en pensant à autre chose, un type seul attendait la suite et, dans un coin, une femme sans âge fumait en buvant du café. Sans doute dans le louable souci de se conformer aux règles, le chauffeur avait mis une cravate ridicule, trop large, criarde et bariolée. Il se tenait très droit. En entrant, il avait proposé à Samuel de le laisser dîner seul. Bronchowski lui avait répondu de faire à sa convenance. Alors, sans rien ajouter, l'homme s'était assis à la table de son client. La nourriture était légère, sans sauces ni épices, le service, attentif. Le chauffeur dit :

— Nous arriverons demain dans la nuit. Au plus tard, au matin.

— L'essentiel est que nous arrivions, dit Samuel.

— Nous arriverons, monsieur, nous arriverons.

Et puis tous deux se mirent à manger. A la fin du repas, Bronchowski remarqua que la femme s'était assise dans un fauteuil large, près du feu. Elle fumait toujours. Il y avait dans son corps pas mal de lourdeur. Son visage n'était pas ridé, mais prenait parfois une expression de dégoût quand elle tirait sur sa cigarette. Le chauffeur dit :

— Là où nous allons, la guerre est encore plus terrible. Il faudra que vous fassiez attention à vous.

— J'essaierai, répondit Samuel en souriant.

— Vous ne m'avez pas demandé mon nom, monsieur.

— C'est vrai, mais vous êtes un bon conducteur, et c'est bien là l'essentiel.

— Mon nom est William, William Sobrahj. Je crois que je n'aime rien autant que les voitures.

Puis, de nouveau, le silence s'installa sur la table.

— Puis-je me retirer, monsieur ?

— Bien sûr, dit Samuel, je vous en prie, à demain.

Le chauffeur aurait sans doute aimé parler davantage. Mais Bronchowski n'avait rien à dire, rien qui puisse en tout cas alimenter une conversation qui manquait d'appétit. Depuis qu'il vivait sans sa fille et sa femme, Samuel avait coutume d'entrer en lui-même et d'y demeurer. Il n'en sortait que très rarement. Son intérieur était pratiquement vide de tout, à l'exception d'un petit tiroir à mémoire où il avait, une fois pour toutes, rangé l'essentiel. Le temps était pour lui inconsistant, et il le perdait avec la résignation calme de ceux qui savent qu'il leur est compté. Pour le reste, de la patience, un mauvais sommeil et quelques plafonds faisaient l'affaire.

Samuel passa une main sur son visage. Sa peau était sèche. Cela ne lui était pas arrivé depuis longtemps. Il regarda la femme près du feu. Elle le regardait aussi. Les autres clients avaient regagné leurs chambres ou étaient passés au salon. Elle fumait à se brûler les lèvres. Les flammes éclairaient et soulignaient l'arête de ses jambes. Elle portait une jupe noire et un chemisier sans grâce. Il y avait trop de bracelets autour de ses poignets, et les bouts filtres de ses cigarettes arrachaient le rouge de ses lèvres. Elle était blanche, comme seules les femmes lasses peuvent l'être. Sans le moindre effort, sans aucune gêne, elle soutenait le regard de Samuel. Elle avait l'air de dire : « Je suis peut-être vide, mais tu es aussi creux que moi, » Samuel aurait aimé qu'elle le dépouille de ce qu'il avait en lui, qu'elle lui enlève ses linges, sa langueur et qu'elle l'endorme, là-haut, sur des draps frais, dans la chambre froide. Mais, même lorsqu'elle est fatiguée de tout, la vie ne s'accommode pas de conclusions aussi simples. Avant d'en arriver là, au repos des chairs, il aurait fallu parler, sourire un peu, et surtout faire semblant de s'intéresser l'un à l'autre. Or, ni elle ni lui n'avaient, ce soir-là, le courage de se plier à cette chorégraphie convenue. Alors, avec détachement, elle jeta son mégot dans le feu et quitta la salle. Un peu plus tard, dans la pièce, le parquet craqua légèrement. C'était un garçon qui desservait.

Samuel s'était installé dans le fauteuil près du feu. Le siège était tiède et portait encore sur lui l'odeur de la femme, son parfum légèrement vieilli, poudré, dont on n'attendait pas qu'il étourdisse l'esprit, mais seulement qu'il rende la chair moins fade.

De temps à autre, un homme en veste blanche venait disposer une bûche et remettre les braises en ordre. Il ouvrait avec une grande application, veillant à ce que les cendres demeurent à l'intérieur d'un territoire strictement délimité. Cet employé était âgé. Ses mains étaient couvertes d'une infinité de taches brunes déposées là comme des vieilles lunes. Bronchowski le regardait faire. Il lui dit :

— Vous entretenez ainsi le feu toute la nuit ?

— Aussi longtemps qu'il le faut, répondit l'homme.

Samuel comprit qu'il était temps pour lui de regagner sa chambre. Quand il se glissa dans les draps frais, il eut, pour la première fois depuis bien longtemps, le sentiment que sa nuit serait bonne, propre, sans transpiration ni suffocation, sans explosions ni broderies de violons. Avant de fermer les yeux, il s'autorisa une balade au-delà du plafond. Il n'eut même pas le temps d'arriver jusqu'en Espagne. Le sommeil l'emporta avant la frontière.

Le ciel était blanc comme de la mie de pain. En buvant son café dans le jardin, Bronchowski admirait les arbres du petit parc et, derrière, l'immensité des plantations de thé qui couvraient les montagnes à perte de vue. L'air avait un goût d'infusion. Apre, frais et parfumé. Le vent qui venait de la ville n'avait pas la force de monter jusqu'ici. Il s'écrasait plus bas, dans la plaine, sur les premiers contreforts des plateaux. Il s'écrasait comme une vague bierreuse, jaune et moussue, répandant ses mauvais ferments jusque dans le bois des habitations. Des hauteurs, on pouvait observer les méandres de ces miasmes. William, lui, s'affairait depuis déjà un bon moment sous le capot de la Wolseley. A la façon des chauffeurs de longue distance, il vérifiait tout ce qui devait l'être, les niveaux, les pressions et peut-être même les compressions. Samuel n'avait pas envie de reprendre la route. Dans sa démarche forcée, cet endroit lui procurait une respiration, un réconfort pour le corps et l'esprit. Il se sentait loin de la ville, des persiennes de Senanakaye, et plus proche de Maria. Il éprouvait les sentiments rassurants que l'on ressent au sortir d'un rêve hideux. Ici, la phrase de l'homme du téléphone — « Le monde est si grand et les êtres si petits » — prenait tout son sens. Gloria devait être quelque part en bas, sur l'autre versant de la montagne, parmi des hommes et des femmes rongés par l'humidité et les odeurs, avançant et avançant encore de peur d'être engloutis par les heures qui passent. Ce devait être cela, la marche du temps. A sa façon, Senanakaye était une sorte de chroniqueur de cet exode. Derrière sa vitre, il vérifiait que le monde était bien en route. Sans doute trouvait-il dans ses observations la force de dépérir. Cette mort qu'il portait sur lui de façon si nonchalante lui conférait la grâce des noyés lorsque ceux-ci s'éloignent vers le large. Senanakaye n'était pas homme à savoir nager.

Samuel s'approcha de William Sobrahj et demanda d'une voix douce :

— J'aimerais rester ici encore une journée. Est-ce que cela vous pose un problème ?

Le chauffeur parut à la fois surpris et contrarié. Non qu'il fût pressé d'arriver, mais ce nouvel emploi du temps le privait du plaisir de conduire.

— Comme vous voudrez, monsieur, fit-il en continuant d'évaluer ses jauges.

Tout autour du bâtiment, à perte de vue, il n'y avait que de la végétation. William continua encore un moment ses vérifications, puis ramena sa voiture au parking couvert de l'établissement. Il demanda ensuite sa clef à la réception et remonta dans sa chambre, visiblement déçu. Samuel, lui, s'était installé à la salle à manger à la même place que la veille. Il avait commandé un vrai petit déjeuner. Dans la cheminée, les bûches se consumaient lentement. Autour de lui traînaient des touristes arrivés là par le car du matin. Ils parlaient fort, et leurs tenues étaient auréolées. Ils avaient les visages et les corps de gens qui viennent de la ville, qui découvrent la fatigue, la guerre et la peur.

Samuel la vit venir de loin. Elle portait un tailleur léger et son allure paraissait plus jeune. Comme la veille, elle traversa la salle, une cigarette entre les doigts, et demanda qu'on lui apporte du thé dans le jardin. En passant, elle eut un sourire pour le vieil homme qui nourrissait le feu. Bronchowski regarda ses jambes et songea qu'au même moment, dans la vallée, un autre homme examinait peut-être Gloria de cette façon. C'était sans importance. Il n'avait pas fait tout ce voyage pour réapprendre la jalousie et le désir, mais pour porter une nouvelle de mort.

L'après-midi fut un enchantement. Samuel se promena longuement dans les environs de l'hôtel et, au cours de sa flânerie, retrouva Maria. Pour la première fois depuis la mort de sa fille, il parvint à reconstituer, dans sa mémoire, les expressions de son visage et les inflexions de sa voix. Elle lui disait qu'il lui manquait, qu'elle l'aimait et qu'il lui manquait. Il répondait qu'elle était plus jolie que jamais, qu'elle avait grandi et qu'il n'avait jamais cessé une seconde de penser à elle, le jour comme la nuit, l'été comme l'hiver. Plus tard, en redescendant vers l'hôtel, dans le brouillard qui commençait à se déposer, le visage de Samuel se déplia de joie. Il venait juste de retrouver l'exacte odeur du bonheur que Maria portait au creux de son cou, le parfum de l'enfance.

De la fenêtre de sa chambre, Bronchowski observa la mouvance des arbres dans les nappes de brume. Il vit aussi arriver une voiture. Elle s'arrêta devant le hall. Trois personnes en descendirent, le conducteur confia les clefs du coffre au bagagiste et se désintéressa de la suite. Samuel fut choqué par ce geste. Lui, ses valises, il les portait tout seul. Il se dit que ces comportements venaient sans doute avec l'argent, l'aisance ou la naissance. Quand on traitait les hommes comme les choses, c'est que l'on n'aimait guère les choses.

En attendant l'heure du dîner, il descendit au bar. Le salon, contrairement à la veille, était très animé. Les touristes du matin avaient retrouvé figure humaine, sans doute transfigurés, eux aussi, par le climat. William, dans un fauteuil, parlait d'automobile. Lorsqu'il aperçut Samuel, il le salua fraîchement de la tête avant de se remettre aussitôt au volant de sa conversation. Bronchowski trouva une place sur un tabouret près du comptoir et, en attendant de passer une commande, se laissa aller à la pratique de son exercice favori, la contemplation des autres. Le tableau vivant et bruyant qui gesticulait devant lui ne contenait aucun personnage, aucun visage remarquable. Non, l'épreuve qu'on lui présentait était à l'image de ces cadres anodins, cloués pour rompre la monotonie d'un mur. A la différence qu'ici, les êtres et les choses bougeaient en faisant des bruits de gorge, de ventre, de joie ou de verre. La dame qui fumait n'était pas là. Samuel l'imaginait dans sa chambre, devant sa fenêtre, à observer la nuit qui passait derrière le brouillard. La pièce devait être imprégnée de l'odeur douceâtre d'un tabac blond, mêlée à celle d'une eau de toilette au parfum poudré. Pas un instant il n'imagina qu'elle pouvait être partie, qu'elle avait pu quitter l'hôtel et redescendre vers la plaine. Il sentait qu'elle était au-dessus de sa tête, à faire aller et venir ses chaussures noires sur le parquet blond en attendant que l'appétit lui vienne. William s'était approché de Samuel. Il dit :

— Pardon, monsieur, êtes-vous toujours décidé à partir demain ?

— Oui, toujours, si vous êtes d'accord.

Bien, dans ce cas la voiture sera prête.

— Voulez-vous que nous dînions ensemble ?

— Je suis désolé, monsieur, mais ce soir je suis invité par un homme qui aime les automobiles, et qui les connaît bien.

Samuel eut un sourire de compréhension. Ce soir,

pour ne pas être seul, peut-être aussi pour pouvoir raconter sa rencontre avec Maria, il aurait été prêt à entendre des histoires de vidange. L'occasion lui était refusée, il n'en voulait à personne. Il écoutait seulement le bruit des autres, et, dans l'ensemble, ça tournait rond. C'était là une réflexion de garagiste ou à tout le moins celle d'un homme à l'âme bien lubrifiée.

Et elle entra. Entre ses doigts, sa cigarette la précédait. Elle la tenait en avant et semblait s'en servir comme d'une canne blanche. Il y avait un peu de rouge sur le filtre. Elle se dirigea vers une table libre et attendit que l'on vînt prendre sa commande. Ses yeux, distraitement, détaillèrent la pièce et s'arrêtèrent un instant sur le visage de Samuel. Ils ne s'y attardèrent pas. Juste le temps d'en faire le tour. Pour Bronchowski, cet inventaire dura des heures. Il eut tout à la fois le sentiment d'être choisi, déshabillé, évalué, tâté et reposé sur l'étalage comme un agrume qui manquerait de consistance. Il avait aussi ressenti en lui cette poussée de chaleur qu'il éprouvait chaque fois que, sous sa peau, le désir se mélangeait à la peur. Elle avait continué son errance, sans autre but que d'effacer les plis du désœuvrement. Ses yeux dérivaient au fil des tables et des voix, ils glissaient entre les verres, les cendriers, les cravates matelassées et ridicules, ils se détournaient des mentons gras, des nuques plissées et des colliers de perles fines pendant sur des poitrines sèches. Ses yeux crayonnaient le vide comme on griffonne sur un coin de nappe. Samuel essayait d'interpréter ces graffiti, tentait de leur donner un sens. Bronchowski ne s'en rendait pas encore compte, mais cette journée dans le cou des montagnes et si près de Maria l'avait changé. Il était redevenu un homme, avec ses troubles, ses espoirs, ses impatiences et ses humidités. Il avait suffi que cette femme entre pour qu'il oublie la guerre, la route, sa quête, Maria, Gloria et les manomètres de William. Son corps avait recréé les vieilles alliances chimiques qu'il avait oubliées, il avait réappris à sécréter, des sucs anciens. Et maintenant le sang de ce voyageur charriait des litres d'intempérance. Qu'importe que cette femme fût vide, son corps, lui, était rempli de chair, de viande, de tiédeur, de moiteur, d'odeur, de poils et de plis. Un corps qui bouge, qui parle, se tourne et se raidit, un corps sans grâce peut-être, un corps usé, désabusé, mais vivant. Tout cela allait et venait confusément dans la bouche et le ventre de Samuel. Il voyait les lèvres de cette femme s'enrouler sur le bout de tabac, ses jambes glisser l'une sur l'autre le long du fauteuil, et son regard n'attendre qu'une suite qui ne surprendrait personne. Comme personne ne venait à elle et qu'elle n'avait personne vers qui aller, ainsi qu'elle le faisait tous les soirs, elle se leva et partit dîner.

Les tables étaient dressées comme des chiens de garde, les couverts argentés et les verres gravés. Le vieil homme alimentait le feu et ordonnait les bûches avec des manières de capilliculteur. La pièce, hier presque intime, ressemblait, ce soir, avec les nouveaux arrivants, à une cantine. Comme des vagues, les voix roulaient jusqu'à la digue des murs où elles s'écrasaient avant de retomber en gouttelettes de mots sur le parquet ciré. L'air était presque humide de l'embrun des conversations. La femme, elle, ne disait rien. Elle était assise à la même place que la veille, près de la cheminée, et mangeait en se désintéressant du contenu de son assiette. Elle regardait tantôt les flammes, tantôt la salle, avec des yeux qui paraissaient n'avoir d'autre fonction que de guetter le passage du jour à la nuit et de vérifier la régularité des heures. Pas un instant Samuel ne s'était demandé ce que faisait cette femme dans cet hôtel des hauts plateaux, seule parmi les plants de thé, dans une chambre d'étage. Elle n'avait pas l'air de se cacher, de fuir ou d'espérer quelqu'un. Son unique plaisir était de tirer sur une cigarette pour réchauffer ses lèvres et le ventre de ses poumons.

A un moment, c'était au dessert, elle eut un sourire en direction de Samuel. Quelque chose d'à peine perceptible, d'infiniment ténu. Un instant, lui-même se demanda si ce n'était pas un simple mouvement de bouche. Lorsqu'il la vit se lever et se diriger vers sa table, il fut convaincu de la pertinence de sa première impression. Debout devant lui, d'une voix calme et grave, elle dit : « Vous ne semblez pas avoir d'appétit. » Puis elle s'assit, appela un garçon d'un geste autoritaire et commanda une infusion. En attendant le service, elle n'ajouta pas un mot. Le silence qui s'installait était délicieux. Pour rien au monde Samuel n'aurait pris la responsabilité de rompre ce malaise charmant. Il préférait laisser filer le temps et en ressentir toutes les nuances. La dame, elle, le regardait avec l'air de dire : « Tu ne t'attendais pas à ça. »

Le serveur apporta une tasse, une théière et une coupelle de sucre roux. La femme dit :

— Je vous ai vu marcher dans la montagne, cet après-midi. Vous marchez comme un homme des villes.

Samuel ne savait pas s'il fallait prendre cela comme un compliment. Aussi, il répondit :

— C'est vrai, je n'ai pas l'habitude.

Pour Bronchowski, cet échange de préliminaires signifiait qu'il ne pouvait plus se taire. Pour la première fois depuis bien des années, il allait devoir parler à une femme, lui dire des choses qu'elle écouterait, des choses dont il n'avait pas encore la moindre idée mais qu'il jugeait par avance sans intérêt. Elle ne semblait pas avoir ces problèmes. Dans sa bouche, une infinité de mots alignés par ordre grammatical, s'apprêtaient à sortir dans le monde dont ils s'étaient depuis longtemps accommodés.

Samuel, lui, essayait de faire bonne figure, mais sa langue fouillait dans le vide. L'air qu'il respirait lui glaçait la gorge, et sa poitrine le serrait, tant elle se blottissait contre lui. La femme dit :

— Je suis venue m'asseoir à votre table parce qu'il y a des années que je mange seule. Ce soir, j'ai eu envie de voir l'effet que cela faisait de se retrouver, une tasse à la main, devant quelqu'un.

Cette confidence détendit Samuel. Il retrouva même quelques mots qu'il ordonna du mieux qu'il put.

— Je crains que vous n'éprouviez pas une grande différence. J'ai moi-même dîné si souvent seul que j'ai perdu l'habitude des conversations.

Et, bien sûr, la suite fut un enchantement, chacun retrouvant dans la brocante des banalités l'usage du verbe partagé. Ils parlèrent tant et si longtemps qu'ils se retrouvèrent, comme la veille, seuls en compagnie du vieil homme de la cheminée, dans la salle de restaurant. Elle souriait fréquemment. Samuel percevait dans sa respiration le sifflement de ses bronches encombrées. Sa voix, chaude comme de la chair et déjà grave, était au fil des heures et des cigarettes encore descendue d'un ton. Quand elle jugea que l'essentiel avait été prononcé, elle décroisa les jambes, se dressa sur ses chaussures noires à talons et dit sur le ton d'une femme qui n'a que trop attendu :

— Montons dans ma chambre.

La pièce était bien telle que Samuel l'avait imaginée, vaste, odorante et poudrée. Au travers des larges baies on apercevait la peau des arbres du parc et les bas filés de la brume. Sur la table, entre les fauteuils, il y avait une pile de revues aux couvertures disparates et décolorées par la lumière du jour. Les deux immenses armoires coloniales, entrouvertes, regorgeaient de linge. Le lit couvert d'une cotonnade blanche était défait. Un lit de célibataire, usé d'un seul côté. Sur la table de nuit se côtoyaient un verre, une carafe d'eau, un livre fermé, un cadre avec une photo, et un cendrier. Il était plein et dégageait une odeur qui aurait pu être plus désagréable. De la salle d'eau voisine, on percevait le bruit suintant d'un robinet qui fuyait. Sur les murs étaient accrochées de grandes glaces aux bois dorés et de petites peintures d'une facture anglaise. Samuel leva les yeux au plafond. L'émotion qu'il éprouva lui fit penser que la journée qui s'achevait était pour lui exceptionnelle. D'abord il y avait eu les montagnes, puis Maria, cette femme ensuite, et maintenant ce plafond. Il n'en avait jamais vu de semblable. Le plâtre avait une couleur sucrée et surtout était sculpté comme un ciel avec des nuages et des soleils en relief. Il embaumait le regard. Avec un plafond comme celui-là, l'Espagne devait être derrière la porte à traîner dans la poussière du vent. Mourir dans ce lit, les yeux là-haut, serait une simple formalité. Alors Samuel se dit que, si cette femme demeurait là, dans cet hôtel des brouillards, c'était à cause de ce plafond, de ce mirage de gypse. Elle n'avait jamais pu se résoudre à s'en éloigner. Elle attendait ici à longueur de jours la fin d'un monde affadi. Oui, c'est pour cela qu'elle attend là, pensa Bronchowski. Il s'adressa à elle d'une voix presque blanche :

— Vous devez avoir du mal à dormir avec un plafond pareil.

— Au début je ne le supportais pas, et puis, vous savez, on s'habitue à tout. Vous voulez un brandy ?

Il dit que non, non merci. Et lentement tout le désir qu'il avait en lui s'allongea sur le parquet. Il se sentait dans la peau d'une baignoire dont on venait d'ouvrir la bonde. Il n'avait plus rien à faire dans la chambre d'une personne qui n'aimait pas les plafonds. Du coup, l'odeur des mégots lui devint insupportable et il vit cette femme d'un regard différent. Si elle traitait le plafond avec tant de mépris, c'est uniquement parce que, lui, savait tout de ses nuits. Il voyait se tordre son corps ridicule sous le ventre des hommes et entendait geindre le bruit de ses vieilles entrailles, témoin de la médiocrité de son plaisir. Et, à ces moments-là, si elle fermait les yeux, c'était pour ne plus voir le visage de ses nuages. S'il l'avait pu, Samuel aurait repris la route à l'instant même. Mais les choses se passèrent autrement. Elle s'avança vers lui, prit son visage entre ses doigts et enfonça sa langue dans sa gorge Bronchowski trouva que cette bouche avait un goût de nicotine. Ensuite, il fit ce qu'il avait à faire, ce pourquoi il était là. Il le fit confortablement installé à plat dos sur le lit. Pendant qu'elle se dépensait en manœuvres désordonnées, que ses poumons raclaient dans sa poitrine et que ses mains tentaient de rattraper les déséquilibres, Samuel, seul comme il ne l'avait peut-être jamais été, souriait. A peine sentait-il encore ce que l'on était en train de faire de son corps. Il avait les yeux grands ouverts sur le ciel de nuages. Il regardait le soleil en face.

Le reste de la nuit n'eut pas grand intérêt. La femme dit qu'elle s'appelait Rose. Elle parla de ses deux maris emportés par la maladie, de son fils parti depuis si longtemps qui ne lui donnait jamais de ses nouvelles, de l'immense propriété qu'il lui fallait régir, en bas, dans la plaine, de ce pays qui maltraitait les corps, et de ses vacances, enfin, dans cet hôtel qui n'était plus ce qu'il avait été. Elle demanda à Samuel ce qu'il faisait dans la vie, il répondit qu'il était dans les assurances. Elle eut alors cette remarque :

— Mon Dieu, mais il n'y a rien à assurer ici, sauf peut-être des vies. Mais elles sont si précaires qu'aucune compagnie sérieuse ne s'y risquerait.

La lumière qui venait de l'extérieur éclairait le plafond de façon formidable, faisant ressortir l'ampleur des nuages et, à chaque angle, l'enflure des soleils. Ils étaient là pour éclairer la nuit, rendre supportable la pesanteur du lit, le désordre des draps, la permanence des odeurs, ils étaient là pour apporter un peu de confiance, répéter inlassablement que demain serait un autre jour, et surtout pour réchauffer la froideur de ces nuits à deux, quand l'un parle et que l'autre n'écoute pas. S'il avait osé, s'il en avait eu le courage, Samuel aurait remercié la femme, et ensuite lui aurait demandé de le laisser seul dans cette chambre jusqu'au petit matin. Elle n'aurait pas compris, et il aurait dû lui expliquer. Lui dire que si, tout à l'heure, il avait connu des moments de plaisir, c'est aux nuages de plâtre qu'il les devait. Il ne lui était redevable que de la location de la pièce et de l'usage du matelas. Mais on ne peut pas avouer des vérités comme celles-là. Alors, au contraire, pendant que Rose parlait tout en recrachant la fumée de ses cigarettes, il lui caressait l'épaule. Elle prenait cela pour un geste de tendresse et faisait tout pour prolonger ces instants. Lui n'avait plus qu'une idée : rester dans ce lit le plus longtemps possible, durer coûte que coûte, et si cela s'avérait nécessaire, comme un amant, pour avoir le privilège de voir se lever le jour sur les soleils en coin. Pour ça, il était prêt à faire n'importe quoi. Et il le fit. Encore une fois à plat dos. Quand dehors le ciel commença de s'éclaircir, il ne quitta plus le plafond du regard. Il observa sa lente métamorphose, son passage de la nuit au jour, la modification de toutes ses nuances. Puis, quand tout fut terminé, et alors que Rose en était encore à réciter des cantates obscènes, il ferma les yeux. Elle s'affala sur lui, fatiguée et pensive comme une femme habitée de la conscience de vivre là une des ses dernières nuits de noces. Sa respiration était difficile et rapide, de la transpiration coulait le long de ses bras, et ses cheveux étaient collés à son front. Samuel, lui, était sec comme un bois mort, il avait presque froid, ses jambes étaient blanches. On entendait déjà des bruits dans le couloir. La brume s'était levée. A l'heure qu'il était, William devait être en train de faire les niveaux d'huile.

La voiture produisait un bruit agréable, régulier et profond. Elle rebondissait sur les cicatrices de la route. Sur le siège arrière, dans un demi-sommeil, Samuel était ballotté de droite à gauche. Sa tête avait du mal à tenir sur son cou. Par instants, sous l'effet d'une secousse plus forte que les autres, il se redressait, le temps de percevoir les légères modifications de l'air. A mesure que l'automobile redescendait vers la plaine, l'atmosphère redevenait plus chaude, plus lourde. William, comme à son habitude, conduisait, les deux mains sur le volant. Il prenait les virages de façon appliquée, respectueuse. Quand il croisait un bus, il se rangeait bien sur le bas-côté en marmonnant : « Ceux-là sont des assassins. » William détestait les autocars ou plutôt la façon dont les chauffeurs avaient coutume de les conduire. Il arrivait souvent que ces véhicules versent dans les précipices. C'était la direction ou les freins qui lâchaient. Ou le pilote qui s'endormait. Cela n'avait guère d'importance. La compagnie envoyait des fleurs à la femme du chauffeur, et le lendemain un autre type reprenait la ligne. « Des assassins, ceux-là. » Samuel ouvrit les yeux et reçut en plein visage les crachats noirs du tuyau d'échappement du bus. La température était de nouveau suffocante. Samuel se sentait moite. La pluie s'était abattue d'un coup avec une violence inouïe. Les essuie-glaces noyés sous les trombes s'abritaient comme ils pouvaient. La route ressemblait à un torrent, l'eau dévalait la pente, charriant des croûtes de terre et des petits cailloux. On les entendait parfois taper contre la carrosserie. William roulait au pas. Samuel se retourna. Derrière lui, la montagne avait disparu, il n'y avait plus que de l'eau. A cet instant, Rose devait prendre son thé dans le parc, ensuite, sans doute, elle remonterait dans sa chambre pour dormir un peu à l'ombre de quatre soleils.

La voiture s'arrêta. Au milieu de la voie étroite,

l'armée avait installé un barrage. Debout sous le déluge, un militaire s'adressait à William. Il tenait une mitraillette et semblait énervé. Il appela du renfort et soudain trois autres soldats entourèrent le véhicule. Tous criaient des choses qui déformaient leurs visages. Samuel ne comprenait rien, et William était muet de terreur. Tous deux se retrouvèrent couchés par terre, le corps et les vêtements traversés par la pluie et la boue. Bronchowski sentait des particules glisser sur sa peau, des petits graviers taper contre ses joues et de la terre crisser entre ses dents. Pendant ce temps la voiture était fouillée, vidée comme un poulet. Les valises sorties du coffre étaient ouvertes sur la chaussée. Du pied, les militaires, examinaient ce qui ne ressemblait plus maintenant qu'à de vieux chiffons trempés. Malgré le bruit assourdissant des bourrasques, Samuel percevait leurs rires. Il devinait aussi le contour de leurs visages malsains, et plus il les observait, plus il priait pour qu'un jour ces types-là prennent une balle dans le dos. William fut reconduit à l'intérieur de son véhicule avec la même violence qu'il en avait été extrait. Samuel, lui, avait regagné sa place à coups de pied dans les jambes. William n'arrivait pas à démarrer. Il restait prostré derrière son volant et pleurait. Les photos qui étaient plaquées sur le tableau de bord avaient disparu. Dehors, un militaire les tenait à la main, les regardait, les montrait à travers la vitre à William, les examinait à nouveau, puis, portant la main à sa braguette, simulait une masturbation écœurante. Le chauffeur qui savait tout des moteurs ignorait qu'un jour sa voiture, sa mère, sa femme et sa fille auraient à subir un pareil outrage. Quelqu'un leva la barrière, William tourna la clef de contact et abandonna sur la route les plus belles images de sa vie. Il ne regarda pas dans le rétroviseur. Il ne voulait pas savoir ce que ces hommes allaient faire de ses trois femmes.

Sans s'arrêter ils roulèrent toute la journée et une partie de la nuit. Un peu avant l'aube, William s'arrêta sur le bas-côté. Il se tourna vers Samuel :

— Nous ne sommes plus qu'à deux ou trois heures de la ville, mais je suis trop fatigué pour continuer davantage. Je vais dormir une heure ou deux et nous reprendrons la route ensuite. Essayez de vous reposer, monsieur, même si c'est difficile avec tout ce qui se passe.

Il éteignit les phares et se recroquevilla sur le siège avant. Samuel regardait la nuit. Elle était humide. Sur la route, il ne passait pas de voitures.

C'est le bruit de la pluie sur la tôle qui les réveilla. L'aube était dégoulinante. Les gouttes grasses s'écrasaient comme des crachats. Allongé sur la banquette, Bronchowski avait les yeux ouverts. Il n'arrivait pas à se soulever, accablé qu'il était par ce jour en gésine. Il y avait en lui une énorme lassitude, un découragement profond. Ce matin, il aurait aimé s'éveiller dans un lit frais, prendre une tasse de café, enfiler des vêtements propres, payer sa note d'hôtel, commander un taxi pour l'aéroport et rentrer chez lui. L'annonce qu'il voulait faire à Gloria n'avait plus de sens. Maintenant il ne désirait plus qu'une chose : retrouver le bruit de son évier, la lumière bleue de son téléviseur, le panorama de sa fenêtre et la pâleur de son plafond. Tout ici lui était étranger, même sa propre odeur. Et le pire était que, si ce climat modifiait le parfum des peaux, il changeait aussi la configuration des âmes. En les ramollissant, en affaiblissant leur détermination. Toute résolution devenait au fil des jours résignation. Peu à peu on s'accoutumait même aux humiliations. Elles étaient l'une des formes de cet esprit d'abandon. Dans ce pays, les hommes ne se nourrissaient pas de la terre. C'était la terre qui se nourrissait des hommes. Et Samuel restait là, engourdi par la fatigue, à écouter la pluie marteler la voiture.

4

PAYSAGES
DE L'AUTRE CÔTÉ DE LA PLUIE

La ville se traînait maintenant dans la boue de la plaine. Les artères principales étaient bouchées par des grappes d'hommes. Les corps se frottaient les uns aux autres ou glissaient lentement sur la carrosserie de la voiture. Ils laissaient des traces mouillées sur la peinture. L'odeur était si forte qu'elle piquait les yeux. Il ne pleuvait plus. Des camions militaires bâchés, regorgeant sans doute de soldats en armes, stationnaient sur toutes les places et aux carrefours. Du regard, Samuel cherchait un hôtel mais ne voyait que des ruines ou des bâtiments délabrés. En arrivant dans le centre, il aperçut un immeuble qui lui semblait plus étanche que les autres. Il descendit de l'automobile et se dirigea vers la réception. Le portier mangeait une sorte de sandwich enrobé dans du papier journal. Samuel demanda une chambre. William déchargea le peu de bagages qui avaient survécu au contrôle de la veille. Il les déposa dans l'entrée. Bronchowski paya ce qu'il devait à son chauffeur et dit :

— Merci de m'avoir amené jusqu'ici et pardon des ennuis que je vous ai occasionnés.

William s'avança et prit la main de Samuel dans les siennes :

— Je ne sais pas ce que vous venez faire dans ce pays, mais n'y restez pas longtemps. Rentrez vite chez vous. Ce lieu est vorace, mauvais. J'ai apprécié ce trajet en votre compagnie. Vous êtes un client agréable, peu bavard mais agréable.

Et William remonta dans sa voiture. Bronchowski lui fit adieu de la main puis revint dans le hall prendre la clef de sa chambre. Le réceptionniste, affalé sur le bureau, dormait la bouche pleine.

L'escalier qui menait aux étages était à l'abandon. Il manquait des barres à la rampe, et le tapis s'en allait dans tous les sens. Les couloirs empestaient le graillon. La porte de la chambre de Samuel était ouverte. Elle ne fermait pas. Bronchowski découvrit des murs jaunes et gras, une fenêtre à coulisse, une sorte d'évier-lavabo en acier émaillé, une tringle, deux portemanteaux, une chaise en métal, une ampoule, un plafond écaillé et un parquet aux lattes disjointes. Le bruit de la rue tapait au carreau avec une telle force que l'on pouvait croire qu'il allait le casser. Samuel, immobile au milieu de la pièce, contemplait la pauvreté de son nouvel horizon. Heureusement, il n'y avait pas de miroir. Sinon il aurait vu combien lui-même se trouvait en harmonie avec le dénuement de ce décor. Derrière lui, un homme énorme se tenait debout dans l'embrasure de la porte. Son ventre débordait de son pantalon et tendait sa chemise comme une peau d'enfant. Du plat de la main, il frappa sur la porte :

— Bienvenue à l'hôtel.

Samuel se retourna et le visiteur avança vers lui.

Il tendit la main à Bronchowski. Elle était froide et

moite, inconsistante, sans os ni phalange, gonflée par la graisse.

— Je m'appelle Yossarian, Yossarian Saroyan, dit l'homme. Je suis votre voisin. Je vous ai entendu entrer et j'ai pensé : Yossarian, il te faut aller saluer ton nouvel ami. Et je suis là.

Une sorte de sourire se posa sur la bouche de Samuel. Dehors, une nouvelle averse détrempait les rues.

Saroyan parlait, il marchait dans la pièce et parlait. Il disait qu'il avait froid, qu'il avait toujours froid et qu'il ne comprenait pas comment un homme qui avait aussi froid pouvait autant transpirer. Il disait aussi que cet hôtel était le meilleur de la ville, qu'autrefois les draps étaient changés une fois par semaine, qu'il y avait une douche et un W.-C. à chaque palier que, de tous les étages, le premier était le plus agréable, les chambres y étaient plus grandes, plus claires et mieux entretenues. Samuel était fatigué. Il n'avait pas la force d'avouer à Yossarian qu'il tombait de sommeil. Alors, tout en écoutant son nouveau voisin, il s'allongea sur le lit. Saroyan prit la chaise et la porta près du matelas.

— Je vais vous dire maintenant près de qui vous vivez. Derrière ce mur, Yossarian, Yossarian Saroyan. Le plus grand cuisinier de cette ville. Si vous avez faim, ma chambre vous est toujours ouverte, si un jour, une odeur vous plaît, entrez. J'ai une gazinière, un four et un toaster.

Il présentait ces appareils avec fierté comme autant de possessions exotiques et prestigieuses. Yossarian pivota avec difficulté sur la chaise et, du doigt, indiqua l'autre cloison.

— Ici habite M. Glass, il est projectionniste. Mais en ce moment il n'y a plus guère de films. Pourtant, le soir il rentre tard. Il fait beaucoup de bruit et les autres clients crient, et ça fait encore plus de bruit. Avant de partir au travail, il dit : « Ce soir, j'essaierai de ne pas faire de bruit en rentrant. » Glass est le plus ancien locataire de l'hôtel. De l'autre côté du couloir, porte de gauche, c'est Mme d'Urville. Tout le monde l'aime beaucoup. Elle reste souvent dans sa chambre. Elle a longtemps vécu en France. Elle connaît bien la cuisine. La porte de gauche, c'est celle du muet. Un drôle d'homme, toujours sec et qui ne mange rien. Cela fait des années qu'il vit là, il n'a jamais prononcé une parole. Et pourtant Mme d'Urvile prétend l'entendre parler tout seul dans sa chambre. Voilà. Les autres, c'est plus des voisins, on se salue, mais on ne se fréquente pas. Celui qui habitait ici avant vous était mon meilleur ami. Il est parti la semaine dernière, Il est rentré dans son pays. Il était malade du ventre. Il est rentré dans son pays pour se faire soigner. C'était mon meilleur ami. Le jour de son départ je lui ai fait un grand repas. Même le portier de l'hôtel est venu goûter mon dessert. Il a dit : « Monsieur Saroyan, vous êtes le meilleur cuisinier de cette ville. » C'est ce qu'il a dit. Après, avec mon ami, on a bu. Puis on est allé dormir. Et le lendemain il est parti. Aujourd'hui, c'est vous qui arrivez. C'est la vie.

Dans son demi-sommeil, anéanti par la logorrhée de son visiteur, Samuel trouva cependant la force de plisser son front pour signifier à Yossarian que oui, dans le fond, la vie c'était bien ça. Le gros homme n'en demandait pas davantage. Il souleva ses chairs, remit la chaise à sa place et ajouta : « Reposez-vous, avec ce temps, il faut se reposer. Ce soir, je vous ferai un gâteau, un gâteau avec de la crème et des fruits. » Et il sortit à petits pas en laissant la porte ouverte. Il savait qu'elle ne fermait pas.

Quand Samuel ouvrit les yeux, il faisait nuit. La pluie battait sa vitre et la rue semblait vibrer au pied de son lit. Dans le couloir, il entendait des voix. Il y avait aussi une abominable odeur de cuisine, mélange de friture et de légumes bouillis. Bronchowski se leva. Toutes les portes des chambres étaient ouvertes, et les gens se parlaient d'une pièce à l'autre, sans se voir. Les conversations se croisaient sans se bousculer. Le bruit était assourdissant. Soudain, curieusement, il se mit à décroître jusqu'au silence total. Tous les locataires s'étaient avancés sur le seuil de leur domaine et dévisageaient Samuel. Ils le considéraient avec attention, soupesaient ses traits, évaluaient ses vêtements, éprouvaient son regard. Cela dura une éternité. Jusqu'à ce que Yossarian parût. Il dit :

— Je vous présente mon nouvel ami. C'est mon nouvel ami. Il est arrivé tout à l'heure par la route. Je lui ai déjà parlé de vous tous. Il vous connaît tous. Il est très fier d'habiter parmi vous. Il s'appelle Bronchowski, M. Samuel Bronchowski. Ce soir, j'ai préparé un gâteau en son honneur.

Et le couloir entier se mit à applaudir à tout rompre. Chacun se précipita sur le nouveau locataire pour serrer sa main et lui souhaiter la bienvenue. La perspective de goûter aux friandises de Yossarian était pour beaucoup dans cet empressement. Saroyan s'avança vers Samuel :

— Vous vous appelez bien Samuel Bronchowski ?

— Oui.

— C'est bien, très bien. Parce que tout à l'heure, quand je suis retourné chez moi, j'ai pensé que vous ne m'aviez pas dit votre nom, alors je suis revenu. Mais vous dormiez déjà. Alors j'ai regardé sur votre bagage et j'ai lu « Samuel Bronchowski ». Vous ayant présenté comme mon nouvel ami, les autres n'auraient pas compris que je ne connaisse pas votre nom, vous voyez, ils auraient trouvé ça bizarre.

Samuel ouvrit le robinet de l'évier et mit son visage sous un filet d'eau brunâtre. Yossarian le regarda faire, puis dit :

— Il ne faut pas faire ça, ce n'est pas propre. Cette eau-là, c'est pour les mains ou la vaisselle. L'eau du visage, c'est aux douches.

— Ce n'est pas la même ? demanda Samuel.

— Non, celle-là remonte de la ville et n'est pas pure. L'autre vient du ciel. C'est de la pluie qui est recueillie sur le toit de l'hôtel dans un grand réservoir. Il y a tellement d'averses qu'on n'en manque jamais. Quand vous serez prêt, venez dans ma chambre. La table est déjà mise. J'ai invité Mme d'Urville et M. Glass.

— Vous êtes très gentil, monsieur Yossarian.

— C'est normal, vous êtes mon ami, monsieur Bronchowski.

Quand Samuel entra dans le repaire de Saroyan, il comprit qu'il était passé de l'autre côté du monde. Il n'avait jamais vu une pièce pareille. Aucun homme d'aucune sorte n'aurait pu vivre là. Sauf Yossarian Saroyan. A côté du lavabo, on trouvait une gazinière noire comme le charbon, des cartons déchirés regorgeant d'ustensiles de cuisine aux reflets gras, et deux bassines remplies d'une sauce brunâtre d'où émergeaient des protubérances informes. Sous son sommier, Yossarian entassait ses victuailles, ses provisions, ses réserves. Cela allait du légume sec à la viande bleutée. Il y avait aussi des bouteilles. D'huile ou d'alcool. Le sol était recouvert de papiers, on marchait sur une moquette de journaux d'une épaisseur considérable. Sur le lit, les draps gorgés de graillon avaient la raideur des mauvais cuirs. Au centre, on devinait la trace du corps de Yossarian. Le matelas faisait un creux.

Quand il aperçut son ami, le cuisinier se leva :

— Entrez, Samuel, nous vous attendions, tout est prêt.

Sur la cuisinière mijotait une préparation qui sentait les épices. En guise de nappe, Yossarian avait déroulé sur la table une grande feuille de papier d'emballage marron. Il avait une face rêche et une autre lisse. Les couverts étaient sales, les assiettes aussi.

Mme d'Urville mangeait de grand appétit. Elle disait :

— On dirait du ragoût, vraiment on dirait du ragoût.

Yossarian tortillait son gros derrière sur sa petite chaise et jubilait :

— N'hésitez pas à rectifier le sel à votre goût, je sale très peu. Quand je cuisine pour moi, je ne sale pas du tout.

Bronchowski faisait un petit geste de la main, l'air de dire : « C'est parfait, vraiment parfait, pas la peine de rajouter quoique ce soit. » En vérité, cette préparation où l'on trouvait du dur et du mou, du végétal et de l'animal lui décapait la langue et brûlait son ventre. Le projectionniste, lui, mangeait sans façon ni passion. Il mangeait par faim. Son travail ne lui laissait guère le temps de traîner à table.

A un moment, Yossarian se leva, ouvrit le four de la gazinière et en sortit le gâteau. Le gâteau de bienvenue. Cela ressemblait à un pudding goudronné. Dedans il y avait des fruits secs. Il fit une infinité de petites parts, les disposa sur une assiette, se dirigea vers le couloir et cria : « Le gâteau, le gâteau. » Tous les gens de l'étage jaillirent de leurs chambres et vinrent chercher leur morceau. Tous avaient un mot gentil pour Saroyan avant de regagner leur pièce. Quand il revint à table, le cuisinier était rose de plaisir. Il découpa de larges tranches dans ce qu'il avait réservé au four, puis les fit glisser dans l'assiette de ses invités. Mme d'Urville disait : « Yossarian, vous avez encore fait des folies », le projectionniste ne parlait pas, et Samuel mastiquait sans fin ce bloc de graisse sucrée qu'il ne pouvait se résoudre à avaler. Ensuite, il y eut du thé. Mme d'Urville alluma une cigarette, et Saroyan un cigare tordu. Maintenant, c'était aux ventres de faire leur boulot, de trier dans tout ça, de mettre de l'ordre. De temps en temps, un renvoi profond faisait tressaillir la carcasse de Yossarian, ses joues se gonflaient, et, lentement, entre ses lèvres pincées, il lâchait les émanations de ses sécrétions gastriques. Mme d'Urville faisait siffler de l'air entre ses dents pour en chasser les fragments de ragoût.

— C'était une belle fête, dit le cuisinier, oui, vraiment une fête réussie.

Samuel fit un sourire de politesse, un sourire que l'on fait seulement avec la bouche. Plus il examinait la saleté de cette pièce, le désordre des couverts, plus il pensait aux quatre soleils des plafonds immaculés de l'autre nuit. En redescendant de la montagne il n'aurait jamais pensé tomber aussi bas.

Mme d'Urville se grattait une jambe. Saroyan rotait en silence. Le projectionniste était parti. C'était vraiment une bien belle fête.

5

LA FRONTIÈRE DES FIÈVRES

Avant de s'endormir, Samuel mit du temps. On entendait le raclement des voix contre les cloisons, la respiration encombrée des canalisations et le bruit obsédant de la pluie qui s'écrasait en gouttes grasses dans la rue. Longtemps, les yeux de Bronchowski étaient restés sur le plafond. Pourtant cette surface l'indifférait. Dès le premier moment, il avait compris qu'il n'en tirerait rien, que ce plâtre flétri n'était que la semelle de l'étage du dessus, le couvercle d'une boîte à sommeil dépourvue de fermoir. Dans cet endroit, il se sentait vulnérable et fragile.

Le jour se levait à peine quand il se réveilla. Debout au pied de son lit, un homme le regardait. Ses mains étaient croisées derrière son dos, son visage n'exprimait rien. Samuel se souleva sur son coude. Le muet dit : « Je ne suis pas muet. » Sa voix fade et désagréable retomba sur les draps. Cet hôtel était un repaire de fous. « Je ne suis pas muet, mais si vous dites que je vous ai parlé, personne ne vous croira. » Samuel ferma les yeux. Quand il les rouvrit, le type était parti. Alors, étalé sur son matelas, fatigué de mauvais sommeil, le père sans enfant sentit monter dans sa poitrine l'humidité du chagrin. Et comme on vomit, en inclinant sa tête vers le sol, il pleura. Maria. Il murmurait le nom de Maria. A cet instant, il aurait tout donné pour avoir foi en Dieu et croire au paradis. Croire que là-haut, au-dessus de la pluie, sa fille jouait avec des enfants de son âge sous des arbres blonds. Croire qu'elle attendait avec impatience le jour où lui, à son tour, irait la rejoindre. Elle le verrait alors arriver de loin et dirait à ses amis : « C'est mon père, là-bas. Celui qui vient vers nous, c'est mon père. » Et, en sautillant sur ses chaussures blanches, elle agiterait la main. Et lui, Samuel Bronchowski, père de Maria Bronchowski, murmurerait entre les derniers doigts de la mort : « Celle qui dit bonjour, c'est elle, c'est ma petite fille. »

Maria était dans la terre. Son corps s'était dissous. Il s'était décomposé. Il ne restait qu'un alignement d'os, quelque part dans un cimetière au-delà de l'Océan. Un cimetière dans une ville où les muets se taisent, où les portes ferment. Ce matin, Samuel éprouvait le même sentiment que le jour de l'enterrement de Maria. Après l'office, les paroles vaines, les larmes de politesse, les mains des voisins, Bronchowski s'était retrouvé seul. Seul devant son lit, sa télévision, sa fenêtre, sa cuisinière, son téléphone. Seul au milieu d'un immeuble qui se lavait les dents avant de se coucher dans des draps de la veille. Et là, au centre de ces habitudes, Samuel n'avait pas eu envie de mourir. Il avait seulement perdu le goût de vivre.

Petit à petit, son existence s'était modifiée. Il avait d'abord abandonné sa cuisine. Du temps de Gloria, et même avec Maria, il se tenait souvent là. Quand elle rentrait de l'école, il lui préparait toujours des viennoiseries et du lait chaud. Il la regardait dévorer, puis tous les deux parlaient de choses sans importance. Ils étaient bien. Ces fins d'après-midi étaient formidables. Même si dehors le temps était abominable. En hiver, quand il neigeait, et toujours dans la cuisine, ils s'asseyaient devant la fenêtre. Ils s'asseyaient et éteignaient la lumière. Maria se blottissait contre son père, et ainsi, dans le noir, ils regardaient tomber les flocons. Des flocons gros comme des capsules de soda qui s'entassaient sans bruit. La tête de l'enfant s'inclinait doucement. Samuel la portait dans son lit, et longtemps, près de son visage, respirait l'odeur de sa bouche et le parfum de ses poumons. Ensuite, il revenait à la cuisine. Il y faisait chaud.

Plus tard, il abandonna aussi son visage et le laissa vieillir à sa guise. Sans le maltraiter, mais en l'ignorant. Il ne renouvela pas non plus ses vêtements. Du temps de Maria, du temps où il allait la chercher à l'école, il se préparait toujours avec soin, Il fallait que sa fille soit fière de lui. Il lui prenait la main, et le trottoir tout entier, la rue même leur appartenaient. Ils formaient un couple sur lequel on se retournait et que les commerçants du quartier aimaient à saluer.

Du jour au lendemain, tout cela n'a plus existé. Ni la neige ni le lait. Il n'est plus resté que l'escalier.

De son lit, Samuel entendait des coups de feu. Cela semblait venir de l'autre côté du carrefour. Il devinait les cris des militaires et le bruit de leurs camions. La guerre. Seulement un moment de guerre.

Gloria. Tout ce chemin et tout ce temps pour la retrouver. Tant de route et tant de pluie. Pour lui dire seulement : « La petite est morte. » Et repartir. Samuel tournait ces mots dans sa tête. Et plus il les agençait, plus il sentait qu'il s'était lancé dans un voyage sans fin. Une course molle où les sentiments s'enlisent dans la boue. Gloria. Elle était partie, elle les avait laissés tous les deux, elle n'avait plus rien réclamé ni demandé. Peut-être même, avec les années et les ravages de ce pays, avait-elle oublié l'enfant et l'homme. Elle, qui la réveillait la nuit, et lui, qui avait fini par encombrer sa vie. Maria avait toujours préféré son père. Il était possible que Gloria n'ait aimé aucun des deux. Elle ne me reconnaîtra même pas, pensait Samuel, et se demandera qui je suis et de quelle fille je parle. Et je ne saurai que dire en face de ces lèvres lissées par l'oubli.

— Votre thé, monsieur Bronchowski.

C'était Yossarian qui venait d'entrer. Il portait un plateau qu'il déposa sur la chaise.

— Nous avons tous bien dormi. Après un repas comme celui d'hier soir, on dort toujours bien. Aujourd'hui, il faudra éviter de sortir. La guerre semble se rapprocher de l'hôtel. Tout à l'heure, j'ai vu le muet se glisser dans votre chambre. Il ne faut pas le laisser faire. Il ne faut pas qu'il prenne ces habitudes. C'est à moi de vous réveiller tous les matins. C'est à moi de le faire. Pas à lui. C'est moi, votre ami.

— Yossarian, soyez gentil, laissez-moi. Sortez et tirez la porte derrière vous.

— Bien sûr. Il faut que vous vous reposiez. Vous avez dû faire un long voyage. Je vais prévenir l'étage de ne pas faire de bruit. Mais, avant, buvez votre thé, il est tout chaud.

Samuel porta la tasse à ses lèvres. Le liquide avait un goût de gras. Un goût de bouillon gras. Saroyan dit :

— Voilà qui va vous faire du bien. Il faut toujours boire chaud le matin.

Samuel reposa sa tête sur l'oreiller. La taie était humide de sa transpiration. Yossarian s'approcha et se pencha vers Bronchowski. Il le regarda avec précaution, un peu comme on observe un enfant qui dort. Puis il dit :

— Qu'est-ce qu'un homme comme vous est venu faire ici ?

Samuel ferma les yeux et Yossarian s'en alla.

C'était peut-être la fièvre. Mais Maria était là. Elle était dans cet hôtel, au milieu de cette chambre, assise sur la chaise. Bronchowski lui parlait, mais elle ne répondait jamais à ses questions. Elle disait seulement ceci : « Je suis morte, papa. Je n'existe plus. Je ne reviendrai jamais. Tu peux vivre tranquille, je ne t'ennuierai plus. » Elle buvait une gorgée de thé et cognait avec son pied sur le rebord du lit. Chaque coup faisait onduler le matelas en lui imprimant un effet de vague. Imperceptiblement, emporté par le courant de cette mer cotonneuse, Samuel s'éloignait de sa fille. Il criait, mais rien ne sortait de sa bouche comme si l'air lui aussi refluait et refusait de porter ses mots. Maria buvait et regardait droit devant elle. A la fin, elle ne disait plus rien.

En se réveillant, Samuel vit le muet. Il donnait de légers coups de pied dans le lit. « Salopard », hurla Bronchowski en se levant d'un bond. Presque aussitôt il se retrouva au sol. Il ne lui fallut pas longtemps pour prendre conscience que ses jambes ne le portaient plus.

Le muet dit :

— Vous êtes malade. Tous les gens qui arrivent ici tombent malades. C'est la cuisine de Saroyan et le climat.

— Fous le camp.

— Il ne faut pas me parler comme ça. Je suis le client le plus puissant de l'hôtel, murmura le muet.

Puis, pendant que Samuel se traînait vers sa couche, il sortit un petit appareil de photo de sa poche et fit deux clichés de Bronchowski :

— Ça, c'est pour ma collection. Je photographie toujours les nouveaux arrivants. Je vous ai pris pendant que vous dormiez tout à l'heure. Je fais ça souvent. Le matin je me glisse dans les chambres et sans bruit je photographie.

Samuel était sans force. Il n'arrivait pas à grimper sur son lit ni à chasser le muet. Alors en criant, comme un agonisant, il appela Yossarian. Quelques instants plus tard, couché et grelottant dans ses draps mouillés, il voyait au-dessus de lui bouger les lèvres de Saroyan. Elles disaient : « Vous avez la fièvre. Il vous faut dormir. Je resterai près de vous toute la journée. Je me mettrai près de la fenêtre et je ne ferai aucun bruit. Je vous surveillerai. Personne ne vous embêtera. Dormez, je suis votre ami. »

A peine eut-il fermé les yeux que Samuel retrouva Maria. Cette fois, elle était allongée près de lui. Ses lèvres rouges brillaient dans la lumière et se tordaient comme des jambes. De temps à autre, la fille embrassait le père de façon écœurante. Elle l'embrassait un peu comme on débouche un évier. Bronchowski était dégoûté par l'odeur et les humeurs de cette bouche qu'il n'osait pourtant pas repousser. Il avait trop peur de la perdre à nouveau, de la voir repartir dans la mort. Il préférait une enfant obscène à la peau chaude plutôt que l'image glaciaire d'un souvenir. En cet instant, au moins, elle était vivante. Sale, mais vivante. Elle tordait son corps comme une pute, et plus que jamais il la voulait pour fille. Son esprit s'était déjà accommodé de cette nouvelle situation. En fait, ce n'était pas bien grave. Maria avait grandi, voilà tout. Et elle avait dû s'élever seule.

Près de la fenêtre, Yossarian Saroyan regardait tomber la pluie. Il surveillait aussi le sommeil de son ami. Il écoutait sa respiration. Elle était rapide et désordonnée. Les rêves de cet homme, pensa Yossarian, doivent être encore plus terribles que la vie.

Dans le lit, Samuel n'était plus seul avec Maria. Gloria les avait rejoints. Elle prenait même toute la place. Ses chairs souples sentaient les parfums de l'automne, les feuilles que l'on brûle et la terre mouillée. Il y avait du brouillard dans ses cheveux et du ciel gris dans ses yeux. Elle était belle comme une femme finissante. Ses mains caressaient Bronchowski, ses doigts comme des vers froids se glissaient partout. Samuel répétait : « Pas devant Maria, pas ici. » Et Gloria riait. Et Maria pleurait. Et le muet faisait des photographies. Et Mme d'Urville se couchait jambes écartées sur le sol. Et Yossarian la pénétrait en disant : « Il ne faut pas réveiller mon ami. » Et tout l'étage entrait dans la chambre. Et Samuel hurlait : « Sortez, vous êtes tous fous. » Mais la langue de Gloria emplissait sa bouche, s'enfonçait dans sa gorge et lapait ses poumons. Elle buvait son air comme du lait rouge. Lentement, Bronchowski s'asphyxiait, et ce n'était pas désagréable. Il voyait les yeux de sa femme entrer dans sa tête et fouiller dans ses pensées. Elles étaient en désordre. C'étaient de vieilles pensées en désordre, usées jusqu'à la corde par l'incessante marche de la solitude.

Quand Samuel ouvrit les yeux, il vit la nuit devant sa fenêtre. Saroyan était toujours assis à la même place.

— Vous avez dormi toute la journée. Vous n'avez rien perdu, ce n'était pas une belle journée.

Les draps de Samuel était trempés comme s'ils avaient reçu une averse. Ils étaient gorgés de transpiration. En les apercevant, Yossarian dit :

— C'est bien, votre fièvre s'est écoulée. La fièvre, c'est comme un abcès, il faut qu'elle se vide. Cette nuit, il vous faudra retourner votre matelas. Vous pourrez dormir dévêtu dessus, la température a de nouveau monté.

Bronchowski était encore dans les traces de ses rêves. Il avait du mal à renoncer à la chaleur de Maria et à la langue de Gloria. Pour les oublier, il ne lui restait qu'une couche détrempée et la voix déplaisante d'un homme serviable.

— Qu'est-ce que j'ai eu ? demanda Samuel.

— La maladie des voyageurs. L'épuisement, la fatigue, la pluie, l'hôtel ; la peur. Ça peut durer plusieurs jours. Il n'y a rien à faire. Il suffit d'attendre, de boire chaud et de transpirer. Vos cheveux sont tout collés. Ça veut dire que vous avez beaucoup sué de la tête, que vous avez lavé votre cerveau, éliminé les mauvaises idées. Demain, vous aurez des pensées plus claires.

— Est-ce que des gens sont entrés dans la chambre pendant que je dormais ?

— Je vous avais dit ce matin que je surveillerais votre sommeil. Personne n'est venu. Vous êtes mon ami. Quand je surveille, personne ne vient.

Pour la première fois, Samuel remarqua le regard de Yossarian. Il était vide, sans expression, lisse comme la banquise. On aurait dit des yeux de mort.

Bronchowski essaya de se lever. Il eut la sensation de ne plus avoir d'os dans les jambes. Il était faible comme un enfant. Alors il se recoucha dans son jus tiède et s'endormit aussitôt.

Dans son sommeil, cette fois encore, il y avait du monde, tout l'hôtel. Le muet suçait un bout de drap, Yossarian lisait un vieux catalogue et Mme d'Urville montrait ses jambes en disant qu'elle vieillissait. Elle disait : « Autrefois, j'avais des mollets, de vrais mollets. Aujourd'hui, regardez, on dirait des bâtons. » Puis, un à un, tous ces personnages quittèrent la pièce en traînant leurs pieds sur le sol et en marmonnant des phrases inaudibles. C'est alors qu'entra Gloria. Elle s'approcha de Samuel et s'assit sur la chaise. Il vit qu'elle avait des chaussures noires. Elle paraissait si fraîche que sa peau elle-même semblait n'avoir jamais servi. Ses vêtements portaient encore les plis du repassage. Son visage immobile avait une expression compatissante. Elle dit :

— Tu as l'air fatigué.

— C'est la fièvre.

— Oui, la fièvre et le voyage. La prochaine fois, j'amènerai Maria. Elle voulait venir aujourd'hui, mais j'ai pensé qu'il valait mieux attendre que tu ailles mieux.

— Tu ne peux pas emmener Maria, c'est impossible, Maria est morte. Elle est morte en montant l'escalier de la maison.

— Tu verras, elle a tellement grandi que tu auras du mal à la reconnaître. Maintenant, elle s'habille comme une femme.

— Elle n'a pas pu grandir, tu mens, elle est morte, c'est moi, moi tout seul qui l'ai enterrée, chez nous, au cimetière.

— Tu es brûlant, tu as encore de la fièvre.

Elle se leva et se dirigea vers la fenêtre. Samuel distinguait maintenant parfaitement les formes du corps de Gloria. Il voyait ses jambes, ses bras, ses mains posées sur les carreaux. Elle se retourna :

— Je savais que tu reviendrais un jour ou l'autre. Il y a longtemps que je m'étais préparée à cette rencontre. Je sais bien que tu n'es pas là pour moi. C'est elle que tu es venu voir. Il est normal que tôt ou tard un père retourne vers sa fille.

— Gloria, je suis là parce que Maria est morte. Notre fille est morte, tu entends. Ça fait des années que je te cherche pour te le dire.

A ce moment Yossarian entra dans la chambre.

— Madame Gloria, il vous faut croire mon ami. S'il vous dit que sa fille est morte, c'est qu'elle est morte. Mon ami ne ment jamais.

Saroyan glissa ses deux grosses mains sous ses aisselles et vint s'asseoir au bout du lit.

Gloria retourna vers Samuel et passa ses doigts frais sur son front. Elle posa aussi ses lèvres sur sa bouche. Un instant, Bronchowski respira l'odeur de son corps. Il sentit aussi sur sa joue le frisson de ses cheveux. En se relevant, elle dit :

— Tu sais, j'ai longtemps pensé à notre dernière matinée en Espagne, je revois encore l'hôtel. Je ne comprends pas pourquoi tu nous a quittées ce jour-là, pourquoi, quand j'ai dit ton nom, tu ne t'es pas retourné. Maria a été malheureuse très longtemps, et puis tu sais ce que c'est, les enfants oublient. Je lui ai quand même mis un cadre avec ta photo dans sa chambre, tu sais, celle où tu es assis sur l'aile de la voiture. Je suis vraiment contente que tu sois là.

— Gloria, je t'en supplie, c'est toi qui es partie, qui nous a abandonnés. C'est moi qui ai élevé Maria jusqu'à son accident. Elle est morte, Gloria, Maria est morte.

— Je vais te laisser te reposer maintenant. Dès que tu te sentiras mieux, fais-le-moi savoir. Je t'amènerai Maria. Pas ici. Je ne veux pas qu'elle retrouve son père dans cet hôtel douteux. On se donnera rendez-vous en ville. Fais-toi beau, qu'elle soit fière de toi. Tu sais, quand elle a su que tu étais là, que je venais te voir, elle était bouleversée. Elle m'a demandé de rentrer vite pour tout lui raconter. Ah, j'oubliais, elle m'a donné quelque chose à te remettre. Repose-toi, et guéris vite.

Une seconde fois Gloria embrassa la bouche de Samuel, passa sa main dans ses cheveux collés, déposa le cadeau de Maria sur le rebord du lit puis lentement quitta la pièce.

— C'est une très jolie femme, dit Yossarian. Mais elle a tort. Cet hôtel n'est pas douteux et votre fille est bien morte. Je vais d'ailleurs mettre ce paquet à la poubelle. Une morte ne peut pas faire de cadeaux.

Ensuite, il n'y eut plus rien ni personne. Rien que du sommeil vide dans la tête de Samuel.

Au matin, Saroyan entra dans la chambre. Il portait

une tasse de thé et un sac de plastique transparent rempli de biscuits secs. Il vit que Bronchowski était réveillé et regardait le plafond. Il dit :

— Je vous ai veillé toute la nuit. Tout à l'heure, j'ai vu que votre front était sec. J'ai alors pensé : Yossarian Saroyan, ton ami est guéri. Je vous ai préparé de quoi déjeuner, il vous faut maintenant reprendre des forces.

Samuel pencha la tête vers le gros homme. Il vit devant lui un être dégoûtant, confit dans sa propre viande, aux yeux coulants, à la bouche mauve. Il vit aussi le plus tendre des sourires. Yossarian ne forçait pas sa gentillesse. Il était simplement né avec l'incroyable faculté d'aimer ceux qui vivaient de l'autre côté de la cloison. Cette fois, c'était tombé sur Samuel. Ça aurait pu tomber sur n'importe qui.

La rue était vide. Il n'y avait que de la pluie. Même les militaires s'étaient retirés. Ici aussi. Comme de l'autre côté de la montagne. Comme dans l'autre ville. Le soir, il y avait la guerre, des morts dans la boue, des vivants qui marchaient. Et le matin, plus rien, personne. Seulement le silence et l'absence. Yossarian dit :

— Je ne sais pas pourquoi. Je ne sors jamais. Mais même ceux qui sortent ne savent pas. Ça a toujours été comme ça. Depuis le début, c'est comme ça.

— Et si on descend dans la rue, demanda Samuel, si on marche, qu'est-ce qui arrive ?

Yossarian ne répondit rien. Il n'avait jamais envisagé cette éventualité, et personne ne lui avait posé la question. Alors, après un long moment de perplexité, il plongea sa main dans le sachet de gâteaux et porta deux biscuits à sa bouche. Le thé chaud coulait dans la gorge de Samuel et rebondissait en gouttelettes dans son ventre vide.

Après avoir lavé son corps, Bronchowski enfila les derniers vêtements propres qui lui restaient. Par la fenêtre, il regarda le ciel. Il était blanc de pluie. L'après-midi commençait à peine. Saroyan, dans sa chambre, officiait déjà en cuisine. Quand il aperçut Samuel dans le couloir, il lui adressa un sourire. En bas, le portier de l'hôtel réparait le ventilateur du comptoir. Bronchowski lui montra une adresse. L'homme examina un instant le papier et se perdit dans d'interminables explications. Dans l'air, ses mains figuraient le dédale des rues, et plus il parlait, plus la destination semblait lointaine. Samuel demanda s'il était possible d'avoir un taxi. Le portier fit non de la tête.

Les rues étaient à nouveau gorgées de monde. Les gens qui marchaient semblaient ne plus avoir de regard. Ils avaient des yeux, mais pas de regard. Ils étaient silencieux et l'on n'entendait que le bruit de leurs pieds dans la boue. Samuel marcha longtemps, peut-être une heure. Quand il arriva devant la demeure de Bawis Bowan, la pluie redoubla. Derrière un immense portail, il devinait le toit d'une grande maison noyée parmi les arbres d'un parc. C'est ici que vivait l'ami de Senanakaye, là que Gloria allait s'installer d'un jour à l'autre. Samuel s'approcha de l'entrée et regarda par une fente dans le portail. Le jardin, les massifs, les arbres, tout avait l'air parfaitement entretenu. Une longue allée de dalles rosées conduisait à la maison. Elle avait l'air immense, avec des balcons en bois et des terrasses. De la végétation s'accrochait aux murs, mais évitait scrupuleusement les encadrements de fenêtre. L'averse frappait le dos de Samuel, les gouttes pointues traversaient sa chemise et lui piquaient la peau, Ses yeux fouillaient la propriété. Ils ne virent qu'un paysage sous la pluie.

Presque en flânant, Bronchowski revint à l'hôtel. Yossarian l'attendait en grignotant dans le hall. Le portier suçait des cubes de glace en écoutant la radio. Le ventilateur avait disparu. Saroyan dit :

— Je vous ai fait votre lessive, j'ai vu que vous n'aviez plus rien de propre. Un homme comme vous doit toujours avoir des choses propres. Mais, dans ce pays, tout est si humide qu'il faut sécher les vêtements sur soi. J'ai demandé à Mme d'Urvilie de porter vos affaires sur elle. Mme d'Urvile a une peau très chaude.

Yossarian émit un petit rire de gorge. Le muet vint rôder dans l'entrée. Il regardait la rue, les gens comme quelqu'un qui n'attend personne. Samuel s'approcha de lui :

— Pourquoi m'avez-vous photographié pendant que je dormais ?

Yossarian dit :

— Ce n'est pas la peine de lui parler, vous savez, il est muet. Personne ne l'a jamais entendu parler.

— A moi il m'a parlé.

— Vous aviez la fièvre, vous avez rêvé qu'il vous parlait. Un muet ne parle pas.

— Je sais qu'il m'a parlé. Il m'a même photographié pendant mon sommeil.

Yossarian se planta devant le muet.

— Vous avez photographié mon ami pendant son sommeil ? Vous l'avez vraiment photographié ?

Le muet haussa les épaules et leva les yeux au ciel. Saroyan reprit :

— Non, mon ami n'est pas fou. Il avait seulement la fièvre, c'est tout. Vous aussi il vous arrive d'avoir la fièvre.

Le muet fit le sourd. Yossarian remonta précipitamment dans sa chambre. Le portier dormait. Samuel était assis dans un fauteuil avachi et pelé. Il regardait le muet et le muet le regardait. Ils essayaient de voir l'un dans l'autre.

Le repas du soir fut pris très tard. Saroyan avait eu des problèmes de cuisson. Il n'était pas content de lui. Mais il mangeait avec son ami, et c'était bien l'essentiel. Au dessert, Mme d'Urville entra. Elle embrassa Yossarian de loin et tendit une main molle à Bronchowski. Elle dit :

— Vos vêtements sont presque secs. Vous pourrez les mettre demain. Comme tout ça était trop grand pour moi, j'ai retourné les manches et les bas du pantalon.

Dans la conversation, la femme souleva ses bras. Sous ses aisselles la chemise était gorgée de transpiration.

Mme d'Urville n'était pas désagréable. Elle pouvait même être drôle, surtout quand, emportée par les remous de ses aventures, elle parlait d'elle à la troisième personne. Il était toujours question d'un homme qui lui courait après : « Lui croyait qu'elle était folle de lui, qu'il lui suffisait de paraître pour qu'elle perde la tête. C'était mal connaître Mme d'Urville, c'était la prendre pour une imbécile ou une catin. Alors, un jour, elle a mis les choses au point et lui se l'est tenu pour dit. » Samuel regardait sa chemise. A l'allure où sa voisine transpirait, elle n'était pas près d'être sèche.

Mme d'Urville parlait beaucoup. Les deux hommes, eux, ne disaient rien. Ils étaient enfoncés dans le creux de leur tête. Yossarian se demandait ce qui avait bien pu clocher dans sa préparation, comment un cuisinier comme lui avait pu manquer un plat aussi simple. Il se consola en mettant son échec sur le compte de la température qui avait dû faire tourner quelque chose. De toute façon, demain, il se rattraperait, et pour se faire pardonner préparerait un gâteau à la crème pour son ami.

Samuel, lui, prit doucement congé de ses voisins et se retira dans sa chambre pour réfléchir. Dehors, il tombait une pluie délicate qui mouillait à peine. Dans le noir, debout devant sa fenêtre, Bronchowski écoutait le bruit de la rue. On aurait dit l'émission d'un vieux poste de radio mal réglé. Le son était nasillard, confus, rien n'émergeait. Dans le lointain, on entendait une rafale de mitraillette ou le klaxon rauque d'une voiture.

Sur le trottoir, en bas, il y avait des marchands sous des tentes. Ils s'éclairaient avec des lampes à gaz et vendaient ce qui leur tombait sous la main. Des vêtements de coton, des légumes, des piles électriques, des boissons en boîte. Samuel se dirigea vers son lit, toucha les draps et sentit l'humidité s'agripper à ses doigts. Il roula le matelas dans un coin de la pièce et s'allongea sur le sommier. Il s'accommodait peu à peu de l'odeur de moisi qui remontait de la toile. Elle avait dû pomper tant de sueur, éponger tellement de fièvre, qu'elle sentait le corps malade. Pourtant, Bronchowski était bien. Ses yeux naviguaient sur le plafond, et de temps en temps, il repérait même une pensée qui flottait au-dessus de lui. Une pensée si fine qu'il pouvait voir au travers. Il avait souvent éprouvé cela, à l'époque où il se couchait près de Gloria. Il la sentait près de lui, et cela suffisait à lui donner le sentiment qu'il était à l'abri de pas mal de choses. Alors, comme souvent il n'avait pas vraiment sommeil, il dérivait dans le noir. Cette errance délimitait le terme paisible d'une journée. Des journées, ils en avaient tant passé ensemble que ça avait fini par faire des mois, puis des années à défaut d'une vie. Le jour où elle lui donna Maria, il lui offrit des fleurs. Ce n'était pas très original, mais il n'avait ni le goût ni les moyens d'une affection excentrique. En sortant de l'hôpital, il fit quelque chose d'insolite pour lui : il se mit à marcher comme un dératé. Il marcha des heures. Et, alors que la nuit tombait, il entra dans une église. Il s'approcha de l'autel, regarda la petite lumière rouge qui brillait, et s'agenouilla en souriant. Plus tard, d'un pas tranquille, il retourna à l'hôpital. Il y arriva à la nuit. On lui dit que ce n'était pas des heures pour faire une visite. Il répondit qu'il venait voir sa fille, Maria.

Samuel avait toujours les yeux ouverts dans le noir. Plus la nuit avançait, plus il reculait dans son passé. De l'autre côté de la cloison, Yossarian dormait en rêvant de gâteau à la crème.

Bronchowski se leva pour bloquer la porte de sa chambre avec sa chaise. Il ne voulait pas que le muet entrât par surprise. Ce n'était pas le moment. Cette nuit, il désirait avant tout la passer en famille. Il lui restait tellement de jours à revoir.

Maintenant, il était en Espagne. Et Gloria dormait à ses côtés, sur le siège de la voiture. La route était chaude comme du pain grillé. Elle défilait sous le ventre de l'automobile. C'était un coupé de l'époque, une Karmann blanc perle. Quand on s'installait au volant, on avait l'impression d'entrer dans un lit. Les manettes de portes ressemblaient à des poignées de réfrigérateur et le tableau de bord à un freezer. La nuit, quand on allumait les phares, les cadrans s'éclairaient en vert. Alors, à ces moments-là, allongé dans ses draps de tôle, Samuel avait le sentiment de partir pour l'éternité, de rouler comme on naviguait autrefois, aux étoiles. Le bruit du moteur se confondait avec celui de sa tête. A l'intérieur, tout tournait rond, et les kilomètres s'enroulaient autour des roues. Ce soir-là, la chaleur était étouffante. Malgré l'air qui s'engouffrait par les vitres ouvertes, on avait l'impression de respirer du coton. Les cheveux de Gloria étaient collés sur son front, et sur le haut de ses épaules, dans la lueur des phares, on devinait la moiteur de sa peau. Ses jambes, légèrement repliées, étaient nues. Sur les lignes droites, Bronchowski la regardait. Il la regardait et bénissait le Sud qui la rendait si belle. Il appuyait alors un peu plus fort sur la pédale, et la voiture en rajoutait pour lui faire plaisir. Cette journée avait été merveilleuse. Il y avait eu ce long réveil, puis l'eau fraîche de la douche, la route du bord de mer, et sur un bout de terre, derrière une station-service qui vendait surtout des légumes, un arbre. Un olivier comme Samuel n'en avait jamais vu. Des experts de Huesca avaient inscrit son âge sur une pancarte : mille ans. Avant de remonter dans la voiture, Bronchowski était allé toucher l'écorce, passer ses doigts sur tant de siècles. Mille ans. Les choses étaient extraordinaires. Devant l'aiguille verte de son compteur, cette nuit-là, sur les routes du Sud, avec Gloria humide de fatigue à ses côtés, Samuel se demandait quelle tête il ferait si on lui annonçait qu'il avait désormais mille ans devant lui, mille ans de route, de Karmann, mille ans avec cette femme près de lui et cette chaleur dans le visage, mille ans de bonheur avec pour seul souci d'appuyer sur l'accélérateur. Là, à la rigueur, il aurait pu croire en Dieu. Ça en valait la peine. Au lieu de cela, il entra trop vite dans un virage, et les cris affolés des pneumatiques lui rappelèrent qu'il pouvait quitter le monde d'une minute à l'autre. Alors il laissa l'arbre derrière lui, et, comme dans les films, les feux arrière de l'automobile disparurent dans la nuit.

Le calme régnait dans l'hôtel. On n'entendait que le bruit de la pluie et, assourdi par les salves de l'averse, celui de la guerre. Il était très tard. Doucement, la porte de la chambre de Samuel s'entrouvrit. Dans la pénombre, Bronchowski vit un homme se faufiler jusqu'au pied de son lit. C'était le muet. Il murmura :

— Je sais que vous ne dormez pas. Les types comme vous ne dorment jamais. Ils pensent. Et ils pensent si fort qu'ils empêchent les gens comme moi de dormir.

— Pourquoi entrez-vous sans cesse dans ma chambre ? Qu'est-ce que vous voulez ?

— Que vous vous en alliez, que vous quittiez l'hôtel, que vous trouviez ce que vous êtes venu chercher ici et que vous repartiez avec.

— Je ne peux plus vous supporter. Demain, je demanderai au patron de l'hôtel de placer un verrou sur ma porte.

— Le patron ne fera rien du tout. Il est malade, il va mourir et il le sait. En attendant, il encaisse, c'est tout. Il a l'impression que l'argent calme ses douleurs, mais ce n'est qu'une impression.

— Sortez d'ici.

— Comme vous voudrez. Mais je reviendrai. Cette fois pendant votre sommeil. Il faut bien aussi que des êtres comme vous dorment parfois. Alors je serai là. A vous regarder pendant que vous serez allongé. Vous ne me verrez pas, mais moi je ne vous quitterai pas des yeux. A ce rythme-là, vous ne tiendrez pas longtemps. Vous partirez.

Le muet quitta la pièce de la même façon qu'il y avait pénétré. Comme un chat écœurant, une bête vicieuse aux yeux habités par tous les tourments du monde. Samuel se tourna sur son sommier. Il mit sa main entre sa joue et le tissu pour se préserver des odeurs de ceux qui avaient transpiré là avant lui. Mais elles étaient enfouies au plus profond de la matière, comme les racines d'un arbre. Le moindre geste, le plus petit mouvement les faisaient remonter. Elles étaient si puissantes qu'on aurait dit que des êtres avaient souffert là pendant mille ans.

Le lendemain matin, Bronchowski fut réveillé par Yossarian. Il tenait à la main une tasse de thé vert et des biscuits secs. Il déposa le tout au pied du lit et s'assit sur la chaise. Samuel trouva Saroyan encore plus dégoûtant que la veille. Il semblait avoir encore forci pendant la nuit. Ses lèvres bleues, humides de salive, étaient gonflées comme des abcès. Il y avait du jaune autour de ses yeux et des écoulements gras bordaient ses paupières. Il dit :

— Vous nous avez quittés si vite hier soir que j'ai eu peur que vous soyez fâché contre moi.

— Pas du tout, Yossarian, j'étais tout simplement fatigué.

— Bien, bien. Mais vous êtes mon ami, vous savez

que vous pouvez tout me dire. Tout. Hier soir, par exemple, je sais que vous avez pensé que j'avais raté le repas. Dans ce cas, il ne faut pas hésiter, il faut me dire : « Yossarian, je n'ai pas aimé le repas. » Si vous ne le dites pas, je sais que vous le pensez, et ça me fait encore plus de mal.

— Yossarian, vous êtes un cuisinier hors pair.

— Ne dites pas ça, j'ai tellement de progrès à faire. Mais vous savez, pour réussir des plats, il faut les préparer en pensant à quelqu'un, à un ami à qui l'on veut faire plaisir. Tant que je vous sentirai près de moi, de l'autre côté de la cloison, je n'aurai de cesse de me perfectionner. Buvez votre thé tant qu'il est chaud. Je ne vous regarde pas manger. Je vais jusqu'à la fenêtre voir la rue. Buvez, buvez.

On aurait dit de l'huile chaude. Une fois avalé, le liquide abandonnait dans la bouche un arrière-goût graisseux qui faisait déraper la langue contre le palais. Les biscuits étaient durs comme des cailloux. Ils sentaient la terre mouillée Samuel mit cela sur le compte de la pluie.

Du coin de l'œil, Saroyan assistait avec satisfaction au déjeuner de son ami. Pourtant, tous les matins, en poussant la porte, il avait peur de trouver le lit vide. Il savait que cela pouvait arriver d'un jour à l'autre et que Bronchowski ne préviendrait pas. Il sentait que ce voisin-là n'était pas homme à prévenir.

Yossarian regardait la pluie et la rue vide. Il pensait qu'il y avait bien longtemps qu'il n'avait pas aimé quelqu'un comme ça. Il regretta d'être gros et repoussant. Sinon, il aurait proposé à Samuel de sortir en ville, de marcher parmi la foule en se tenant près de lui. Il lui aurait raconté sa vie au gré de leurs pas, sans la moindre solennité, sa vie, friable, qui s'écoulait comme du sable. Mais il ne voulait pas imposer à son ami, en public, la disgrâce de son visage et de son corps. Les gens auraient pensé : mais qui peut bien être cet homme qui s'affiche avec un être aussi répugnant ? Yossarian ne voulait pas que les gens pensent ça. Il préférait demeurer seul dans sa chambre et guetter de la fenêtre le retour de celui qu'il aimait.

A force de vivre entre ses quatre murs, il ne s'était même pas rendu compte que dehors le monde n'était plus le même, que ceux qui avançaient sur les trottoirs ressemblaient à des hommes déjà morts et qu'au milieu d'eux, malgré sa laideur, il aurait eu la fraîcheur d'un jeune homme. Quand Samuel eut reposé la tasse, Yossarian la ramassa et à petits pas sortit de la chambre. De retour chez lui, il porta le récipient à ses lèvres.

Deux personnes attendaient devant la douche d'eau de pluie. La dernière était Mme d'Urville. Elle tenait une serviette à la main et portait un peignoir de nylon à grosses fleurs rouges. Son teint marbré s'harmonisait avec sa vêture. Quand elle aperçut Bronchowski, elle parut gênée et se passa la main dans les cheveux. Sa mise en plis était encore écrasée de sommeil, et il y avait des croûtes au coin de ses yeux. Samuel lui demanda si elle avait bien dormi, elle répondit que oui. Et ils demeurèrent ainsi, côte à côte, attendant leur tour et la fraîcheur de l'eau de pluie. Quand Samuel entra dans la douche, il lui fallut un moment pour s'habituer à l'odeur sucrée du savon que Mme d'Urville utilisait, Au sol, il y avait des cheveux et des poils entremêlés. Il y avait aussi un peu de mousse. Bronchowski ouvrit l'eau pour essayer de faire partir tout ça. Ensuite, il se mit nu. Le ruissellement était agréable, des coulées fraîches lui parcouraient la nuque et le dos. Il resta ainsi longuement, jusqu'à ce que quelqu'un frappe à la porte. Quand il sortit, il vit le muet. Quelque chose se passa alors en Samuel, et, sans réfléchir, il frappa le vicieux à la tête. Il lui porta un coup terrible. L'autre mit du temps à se relever. Quand il fut sur pied, Samuel l'empoigna de nouveau et dit :

— Espèce de malade, la prochaine fois que tu rentres dans ma chambre, je te casse le crâne.

Le muet ne trouva rien à répondre. Quand Bronchowski s'éloigna, il était encore planté au milieu du couloir. Sa tempe était déjà bleue et sa lèvre supérieure ouverte. Du sang coulait dans sa bouche. Lentement, il l'avalait.

Alerté par le bruit, Saroyan avançait vers son ami. Il avait l'air à la fois atterré et affolé.

— Que s'est-il passé ?

— Rien, je l'ai frappé.

— Il vous avait manqué de respect ?

— Ce type est un malade. Il parle comme vous et moi, la nuit il vient vous regarder dormir, vous menace et, le jour, il vous croise comme si de rien n'était. S'il rentre à nouveau chez moi, je l'assomme.

— Calmez-vous, mon ami, c'est fini, il ne rentrera plus, j'irai le lui dire, je vous promets que j'irai le lui dire. Mais je vous assure qu'il est muet.

— Yossarian, ce type parle. La nuit il vient ici et me parle.

— J'ai du mal à le croire. Mais, si c'est vrai, si les fièvres ne vous ont pas fait imaginer tout cela, alors oui, ce muet-là est un mauvais homme.

Mme d'Urville vint se joindre à la conversation :

— Yossarian, il y a des années que je vous dis que, la

nuit, ce type parle, je l'entends murmurer de l'autre côté de la cloison, Vous n'avez jamais voulu me croire.

— S'il parle, alors oui, c'est un mauvais homme, reprit Saroyan.

— Je ne vous l'avais jamais dit, mais à plusieurs reprises je l'ai surpris au pied de mon lit en train de me regarder dormir. Quand je m'éveillais, il s'enfuyait. Une autre fois il a entrouvert la porte pendant que je me déshabillais. Il m'a vue toute nue. J'en suis sûre.

En disant cela, elle porta une main sur sa poitrine comme pour cacher ses seins. Elle faisait cela parce qu'il y avait Samuel. Maintenant, le muet avançait vers eux. Quand il le vit, Yossarian avança vers lui :

— Tu n'es pas muet. Maintenant je le sais. Mes amis me l'ont dit. Mes amis ne mentent pas. Tu es un être mauvais. La nuit, tu fais le mal. Si je te vois encore rôder, tu auras affaire à moi.

Le muet ne répondit rien et, la tête basse, pénétra dans sa chambre. Yossarian hors de lui l'y suivit :

— Désormais quand je te parlerai tu me répondras. Tes simagrées sont terminées. Je n'aurai plus d'indulgence pour les mauvais sujets de ton espèce. Tu as compris ?

Timidement, presque imperceptiblement, l'autre, terrorisé, murmura :

— Oui.

Saroyan en resta sans voix. Le muet parlait. Bel et bien.

Il regarda un long moment le mystificateur. Puis il reprit, fou de rage :

— Tu m'as trompé, moi, moi qui t'ai fait des gâteaux, qui t'ai nourri, moi qui t'ai toujours défendu, qui t'ai traité avec égards. Mon ami a raison, tu es un malade de l'esprit. Pour faire ça pendant si longtemps, pour mentir sur la souffrance il faut être né avec le mal en soi. Tu ne rentreras plus dans ma chambre, je ne veux plus te croiser dans le couloir, je t'interdis de m'adresser la parole. Je te condamne au silence. Pour moi, tu resteras à jamais muet.

Yossarian allait et venait dans le couloir. Il agitait ses bras et ses gros doigts en répétant : « Comment a-t-il pu me faire ça à moi ? Comment a-t-il pu ? » Son visage était cyanosé d'indignation. Tous les locataires étaient sur le pas de leur porte et commentaient l'événement.

Samuel descendit dans le hall de l'hôtel. Le réceptionniste fouillait encore dans les entrailles de son ventilateur en écoutant la radio. A voir l'état de l'appareil, il n'était pas près d'avoir de l'air frais. Dehors, les gens s'étaient remis à marcher. Le carrefour était bloqué par des camions militaires où des soldats faisaient monter de force des femmes choisies parmi la foule. Certaines se débattaient, d'autres semblaient résignées. Un peu plus tard, elles redescendaient du véhicule et, le visage baissé, reprenaient leur marche parmi les autres. Samuel demanda au portier si cela durait depuis longtemps. Sans lever la tête, l'homme au ventilateur répondit que cela avait commencé avec la guerre. Il ajouta :

— Vous comptez encore garder la chambre quelques jours ?

— Je pense.

— Vous vous y connaissez en électricité ?

— Pour votre ventilateur ?

— Pour le ventilateur et d'autres choses qui ne marchent plus dans l'hôtel. Si vous faisiez les réparations, on vous ferait un prix pour votre chambre. Le patron pourrait même ne pas vous faire payer votre séjour.

Evidemment, faut connaître l'électricité et savoir réparer, c'est forcé.

Samuel déclina la proposition et remonta dans sa chambre mettre des vêtements propres. Dans le couloir, le calme était revenu. Il frappa à la porte de Mme d'Urville pour récupérer la chemise que lui avait lavée Yossarian. Le tissu était sec, mais sentait la sueur et le parfum. Il demanda aussi à sa voisine de lui prêter une cape de toile pour se protéger de la pluie. D'une valise posée à même le sol, elle sortit un carré de plastique transparent. On aurait dit un rideau de douche.

6

À L'INTÉRIEUR D'UN HOMME VIDE

Avant de sonner au portail de Bawis Bowan, Samuel observa à nouveau les abords de la maison et les allées du parc. Tout était comme la veille, calme et si loin du monde. Un homme aux cheveux très noirs vint lui ouvrir et le conduisit dans un hall de marbre beige. Aux murs, il y avait de grandes glaces aux cadres ouvragés. Un large escalier de pierre conduisait aux étages. Ici, le silence était total. On n'entendait aucun des bruits de la rue. Le son de la guerre s'arrêtait aux grilles du jardin. Debout, son manteau de vinyle gouttant au sol, Bronchowski attendait. Du salon arriva un vieil homme sur un fauteuil roulant. Ses cheveux blancs comme du talc étaient tirés en arrière. Son visage doux ressemblait à celui d'une vieille femme.

Samuel se présenta :

— Mon nom est Samuel Bronchowski. Je viens vous voir de la part de M. Senanakaye.

— Je sais, dit l'infirme, je suis au courant, il m'a prévenu. Entrez et soyez le bienvenu.

L'homme aux cheveux noirs apporta un plateau de boissons et de fruits. Samuel avait laissé sa pelure dans l'entrée. La pièce était somptueuse. Claire, vaste, fraîche, saine. Les fauteuils recouverts de soie naturelle occupaient harmonieusement l'espace sans le surcharger. Au tableau, il y avait de grandes toiles, pour la plupart du XIXe siècle. Près de la cheminée sommeillait un grand piano de style européen. Son rouleau était ouvert. On voyait l'impeccable alignement de ses touches d'ivoire. Et partout de larges bouquets de fleurs fraîches.

— Qu'attendez-vous de moi ? demanda Bowan.

— Je recherche une femme, et votre ami Senanakaye m'a dit qu'elle allait bientôt s'installer chez vous.

— C'est exact. Elle sera là demain.

Samuel passa ses mains sur son visage. Demain tout serait donc fini. Il ferait son annonce et pourrait partir. Il dirait les quelques mots qui depuis si longtemps attendaient dans sa tête, il dirait : « Maria est morte », et s'en irait. Voilà. Demain. Curieusement, à cet instant, il pensa à la peine que son départ de l'hôtel allait causer à Yossarian. Puis le visage de Maria revint s'installer au centre de son esprit. C'est pour elle qu'il avait fait tout cela, ce voyage. Elle était plus que jamais en lui.

— Puis-je vous demander, monsieur Bronchowski, pourquoi vous recherchez cette femme ?

— J'ai une nouvelle à lui annoncer.

— Voyez-vous, il va falloir que vous et moi allions au fond de cette histoire. Il va falloir que nous parlions, toute la journée s'il le faut. Je ne vous cacherai pas que Senanakaye ne m'a pas dit que du bien de vous. Mais il est lui-même un être si particulier... En tout cas, il faudra me dire la vérité. Je suis une personne qui comprend bien des choses. Alors voilà, d'abord je vous parlerai de moi, comme ça vous saurez à qui vous avez affaire. Ensuite, ce sera à votre tour de vous raconter. Mais, pour l'instant, je vois que la pluie a cessé, profitons-en, soyez gentil, poussez ma voiturette et conduisez-moi dans le parc. Je vais vous faire visiter mes arbres.

Le vieil homme avait une voix aussi douce que le tissu des fauteuils. Elle glissait comme une caresse sur la peau des oreilles. Samuel se leva et se dirigea vers le jardin en poussant l'homme dans son siège roulant. Il remarqua qu'une inscription était gravée sur le métal du dosseret : « Et les machines à bras consoleront les morts. » L'atmosphère avait la moiteur d'un pansement. Les odeurs des plantes grouillaient comme des vers.

La propriété était immense. Bowan commença son histoire :

— Tout ce que vous voyez là, monsieur Bronchowski, m'a été offert par mon père le jour de mes dix-huit ans. Depuis, je n'ai pas quitté cet endroit. On vient m'y voir, je ne sors jamais. J'ai reçu ici des ambassadeurs, des peintres, des écrivains et même des femmes légères. Certains d'entre eux m'ont offert des arbres. Aujourd'hui, quand je passe sous une de ces branches, je pense à leurs visages. Autrefois, je donnais ici de grandes fêtes, mais, depuis que j'ai perdu l'usage de mes jambes, je vous avouerai que j'ai du mal à supporter la vision des gens en train de danser. Je reconnais que c'est mesquin, mais c'est la vérité. Vous-même, aimez-vous danser, monsieur Bronchowski ?

— Il y a bien longtemps que cela ne m'est pas arrivé.

— Soyez gentil de vous arrêter devant cet arbre, là-bas.

Samuel songea que Bowan, comme Senanakaye avait l'art de formuler des questions inattendues et de faire peu de cas des réponses. Ils avaient aussi en commun une certaine délicatesse de pensée, le goût des tournures obsolètes et cette distance qu'ils mettaient entre leurs idées et les mots. La similitude entre les deux hommes s'arrêtait là. Autant l'un se complaisait dans les brumes des relations troubles et des situations équivoques, autant l'autre semblait avoir le goût de la rectitude et de la clarté. Pour Samuel, il était impossible d'imaginer ces deux êtres, côte à côte, dans un même salon. De quoi pouvaient-ils bien s'entretenir, quelle vision commune du monde pouvaient-ils bien partager ?

— Regardez bien, monsieur Bronchowski, dit l'infirme, regardez cet arbre. Savez-vous ce qu'est cet arbre ?

— Un tupilier ?

— Non, mon cher ami. Un talipot. D'un point de vue strictement botanique, ce n'est pas une essence particulièrement remarquable. Et pourtant, c'est l'arbre le plus émouvant, le plus extraordinaire de ce jardin. Le talipot a une particularité : celle de ne fleurir qu'une fois dans sa vie. Cela arrive généralement vers sa soixante-dixième année. Ensuite, sa mission accomplie, il meurt presque aussitôt. Aussi dit-on : « Bienheureux l'homme qui voit fleurir le talipot que l'on a planté le jour de sa naissance. » Cela veut dire qu'il a traversé ce monde pendant au moins soixante-dix ans. C'est déjà un beau cadeau de la vie. Cela signifie également qu'il doit se préparer à la quitter avec un peu de regret, mais beaucoup de dignité. Monsieur Bronchowski, c'est mon père qui a planté cet arbre le jour où je suis né. Cette année, il est en fleur. L'an prochain, il sera mort. Je sais que je dois me préparer, mais le moment venu je crains de ne pas être aussi stoïque qu'il le faudrait et d'éprouver beaucoup plus de regrets qu'il ne conviendrait.

Samuel eut un instant la tentation de raconter au vieil homme l'histoire de l'olivier et de ses mille ans. Il se ravisa. Devant ce bouquet qui sentait déjà la mort, face à cet infirme qui en éprouvait parfois la raideur, c'eût été inconvenant.

— Vous ne dites rien, monsieur Bronchowski ?

— Je vous écoute, j'aime la façon dont vous parlez des arbres.

— Je ne vous parle pas des arbres, cher ami. Je vous parle de moi, de ce qui m'attend, de ce dont j'ai conscience, de ce à quoi je n'échapperai pas et que je sens se rapprocher chaque jour un peu plus. C'est cela dont je parle, monsieur Bronchowski, pas des arbres. Dans la conversation que nous aurons tout à l'heure, vous saurez que l'homme qui s'adresse à vous n'espère plus rien des êtres et des choses à venir. Je n'ai plus de famille. Ma femme est morte il y a dix ans, et mon fils l'a rejointe l'année passée. Je vis seul avec mes domestiques. Sans eux, je ne serais qu'un homme vide. Avez-vous déjà regardé à l'intérieur d'un homme vide, monsieur Bronchowski ?

Senanakaye aurait pu demander cela. Mais il l'aurait fait sur un ton méprisant. Bowan, lui, s'exprimait tout autrement. De s'être un jour vu du dedans, jamais il ne s'était remis d'autant d'absence. A l'intérieur d'un homme vide, il avait découvert qu'il n'y avait rien. Samuel savait bien ce que l'on pouvait ressentir à ces moments-là.

Bronchowski se remit à pousser le fauteuil lentement vers le fond du parc. Au passage des deux hommes, quelques gouttes se décrochaient des feuilles. Bowan dit :

— Dehors, comment vont les choses ?

— Vous voulez dire la guerre ?

— Non, les hommes, la guerre ne m'intéresse pas. Ce que je veux savoir, c'est ce que les hommes font.

— Ils marchent. Je les vois marcher de l'hôtel. Parfois, les rues se vident complètement. Et puis, d'un coup, la foule revient. Les gens ne parlent pas. Ils semblent fuir en tournant en rond, sans jamais sortir de la ville. De l'autre côté de la montagne, c'était pareil.

— Avez-vous déjà vu des rats prisonniers dans une cage, monsieur Bronchowski ? Ils bougent, marchent, se montent dessus, tournent sans cesse. Savez-vous pourquoi ? Ils flairent la mort. Je ne connais qu'un homme capable d'attendre sa fin assis dans un fauteuil, c'est Senanakaye.

— Vous le connaissez bien ?

— Autrefois, nous nous sommes beaucoup fréquentés. Chaque année il venait s'installer ici pendant la saison des pluies. C'est un esprit très libre, un personnage singulier. Quand sa santé ne lui a plus permis de faire le voyage jusque chez moi, il s'est mis à me téléphoner tous les jours pendant au moins une heure. Il me parlait toujours du même sujet : l'inutilité d'être. Il m'entretenait de cela et parfois de boxe. Je me souviens, il disait souvent : « Quand je suis las de tout, mon seul réconfort est de faire se battre les hommes entre eux. » Et aussi : « Il est possible, malgré votre apparente sérénité, que vous vous lassiez de vivre avant moi. » Il m'a fallu beaucoup de temps pour me familiariser avec cette forme de pensée. Mais je vous avoue que, depuis la mort de ma femme et de mon fils, depuis que j'attends, seul, la fin de chaque jour, le goût du lendemain s'est peu à peu éloigné de moi.

Il faisait gris, ce gris que la peinture ne peut traduire tant il s'apparente à un sentiment plutôt qu'à une couleur. Sur son fauteuil, Bowan se tenait droit. Il ressemblait à un oiseau qui vague sur l'herbe après l'averse. Sa voix coulait de ses lèvres en faisant le bruit reposant d'un ruisseau. Samuel ne disait rien et poussait le fauteuil dans les allées. Il pensait déjà au lendemain. A l'instant où, devant cette maison, il se présenterait seul face à Gloria. Il s'arrêterait à quelques mètres d'elle pour éviter la tentation des affections, puis dirait seulement la phrase qu'il avait emmenée dans ses bagages : « Maria est morte. C'est pour ça que je suis là. » Ce qui se passerait ensuite, il ne le savait pas. Il ignorait la réaction de Gloria. Cela dépendrait de l'état de sa vie et de son âme. Peut-être n'était-elle plus accessible au chagrin. Les mots alors s'enliseraient dans le sable de sa tête. Peut-être aussi, par réflexe, le prendrait-elle dans ses bras. Peut-être.

Les mains de Bowan bougeaient beaucoup. Elles désignaient tantôt des arbres, tantôt l'emplacement de souvenirs. Elles dessinaient des visages, des images, des gens qui se tenaient là, autrefois, à rire dans l'alcool des verres et parmi les parfums de l'aisance. C'étaient des mains vieillies qui racontaient le crépuscule d'une vie. Samuel se disait qu'elles n'étaient plus aujourd'hui bonnes à rien, qu'elles ne seraient même plus capables de faire tourner les roues de ce fauteuil. C'étaient seulement les mains sans force d'un illusionniste paralysé. Bowan vivait maintenant dans une nature morte. Il était le seul personnage dans le tableau Un homme au milieu d'un parc. Un homme sans jambes.

De loin, la maison immense semblait flotter dans la brume du jardin. La propriété était si vaste que les bruits de la ville se perdaient en chemin, s'écrasaient dans les fourrés ou se déchiraient parmi les branches. Il était très facile ici de perdre le sens de l'orientation et celui des réalités. Samuel dit :

— Comment pouvez-vous posséder autant de beauté au milieu de tant de malheur ?

— Comme vous, monsieur Bronchowski, je me suis longtemps posé cette question. Et un jour Senanakaye m'a fait cette réponse : « Pour canaliser la misère dans la rue, il suffit d'élever de hauts murs le long des palais. Il est rare que la pauvreté ait la force de se hisser par-dessus les clôtures. »

— Comment peut-on dire de pareilles choses ?

— On le peut, monsieur Bronchowski. Senanakaye le peut. Et, pour ma modeste part, sans faire miennes les idées de notre ami, je souhaite pourtant que mes palissadés me protègent jusqu'à ma mort. Si des gens les escaladaient, cela voudrait dire qu'une époque est finie et qu'une autre commence. Rien de plus, voyez-vous, rien de plus. Maintenant, nous devrions revenir vers la maison.

Quand ils arrivèrent dans le hall, l'homme aux cheveux noirs attendait. Il tenait dans ses mains un plaid, écossais qu'il déposa sur les jambes du vieil homme. Celui-ci le remercia d'un sourire un peu las.

— Quelque soit le temps, dit Bowan, mes jambes sont froides. Le sang n'y circule plus que goutte à goutte.

Ils étaient maintenant dans le salon, assis face à face, parmi les meubles et les bouquets.

— Maintenant, monsieur Bronchowski, c'est à vous.

A vous de me dire pourquoi vous êtes ici ; seul, au milieu d'une guerre, à la recherche d'une femme.

Samuel se leva, se dirigea vers la fenêtre, écarta le rideau, vit qu'il pleuvait à nouveau et, lentement, progressivement, comme un train qui se lance, raconta son histoire. Il tournait le dos à Bowan et ne pouvait donc évaluer l'impact de son récit sur le visage du vieillard. C'était la première fois qu'il parlait ainsi de sa vie, que son chagrin sortait de sa bouche. Il en éprouvait une sensation bizarre. C'était comme s'il parlait d'un autre. Les mots mettaient de la distance entre lui et Maria. Gloria ne lui avait jamais semblé aussi lointaine, et c'est à peine s'il pouvait reconstituer les traits de son visage. Plus sa narration se faisait précise, plus le contour de ces deux femmes s'estompait. Elles quittaient l'intérieur de son corps, l'abandonnaient une seconde fois. Quand il eut terminé, il éprouva le besoin de s'asseoir. En regardant le tapis, Bowan dit :

— J'ignorais qu'il s'agissait de cela. Je vous prie de pardonner mon indiscrétion, monsieur Bronchowski. Senanakaye ne m'avait parlé de rien.

— Senanakaye ne savait rien.

Le silence s'installa dans la pièce. Le domestique aux cheveux noirs déposa du thé sur la table. Et lentement, il refroidit.

Bowan, au bout d'un temps que ne pourront jamais mesurer les montres, dit :

— Ce que vous allez faire est très cruel. Je comprends votre voyage, votre quête, votre solitude, mais annoncer à une mère que sa fille est morte il y a des années, c'est cruel.

— Pourquoi Gloria vient-elle s'installer ici ?

— Elle a longtemps vécu chez Senanakaye. Elle fut

pour lui une sorte de gouvernante. Elle doit tenir ici un rôle similaire. Cela s'est décidé il y a quelques semaines. Elle ne supportait plus le climat de la côte.

Gloria gouvernante, garde-malade, dame de compagnie. Elle était partie pour ça. Elle avait quitté Maria pour vivre parmi les mourants. Elle avait quitté sa fille pour s'occuper de vieux. Samuel pensa : « Pour nous préférer ces hommes-ci dans ce pays-là, il fallait vraiment qu'elle nous détestât. L'odeur de sa fille envahit sa mémoire. Maria était revenue, blottie contre lui, comme aux meilleurs jours, quand ils regardaient ensemble la neige à travers la fenêtre de la cuisine. Elle était là, pour l'aider, le soutenir dans un moment pareil. Le calmer aussi, lui dire qu'il ne fallait pas en vouloir à Gloria, et qu'elle resterait toujours près de lui. Bowan ne pouvait savoir ce qui se passait dans la pièce, il ignorait que la petite fille venait d'entrer dans le salon et qu'elle parlait à l'intérieur de Samuel Bronchowski. Bowan s'adressait à un homme qui ne l'écoutait plus.

Sur le chemin de l'hôtel, au milieu de la foule, Samuel avançait d'un pas de promeneur. Il avait cette démarche si particulière qui caractérise les hommes du Sud, cette cadence détachée, indolente. Il avait le temps. Maria lui faisait la conversation. Ils étaient assis tous les deux devant la table de la cuisine, elle, devant un bol fumant, lui, derrière ses bras croisés. Dehors, les caniveaux étaient gelés, et le froid donnait aux bruits de la rue un timbre métallique.

Samuel l'ignorait, mais il avait maintenant le même regard de verre que les autres, que tous ces gens qui grouillaient et qu'il croisait. Il n'y avait plus rien dans ses yeux, plus aucune expression, pas la moindre émotion. Il marchait sous les tropiques, et son esprit était au cœur de l'hiver, dans une cuisine tiède qui sentait le lait chaud.

Devant l'hôtel, des hommes se battaient. Ils étaient quatre ou cinq à dépenser leurs dernières forces. Les coups qu'ils se portaient, bien qu'ils ne fussent guère violents, meurtrissaient leurs membres secs. La foule ne faisait pas attention à eux et se contentait de les éviter. Samuel pénétra dans le hall désert. Le ventilateur trônait sur le comptoir, mais il ne fonctionnait pas. L'étage semblait calme. L'air était aussi moite qu'une bouillotte. Bronchowski s'installa dans un fauteuil et observa le plafond constellé d'auréoles marron, cicatrices indélébiles des fuites du dessus. La moisissure rongeait le plâtre. On aurait dit de la vieille peau malade. Samuel pensait à Bowan, à son élégance molle, à ses jambes mortes, à sa morale médicamenteuse, à ses monologues de momie. Cet homme était un gardien de phare, capable de vous expliquer la mer sans jamais s'y être aventuré. Pour lui, un noyé ne pouvait être qu'un mauvais nageur. A la différence de Senanakaye, il ne se délectait pas de ces corps à la dérive. Mais si, une seule fois dans sa vie, il avait dû affronter l'existence, il aurait coulé à pic. Il avait le charme de ceux qui s'offrent tous les luxes de l'âme et du corps et qui n'en abusent pas. Il disait des choses justes à propos de la solitude et du désenchantement. Grâce à lui, Samuel avait découvert qu'il était un homme vide, et qu'à l'intérieur d'un homme vide il pouvait finalement se passer plus de choses que dans tout un hôtel. Les femmes y somnolaient dans des voitures pâles, les morts y revenaient à la vie, et les petites filles n'y grandissaient pas. L'intérieur d'un homme vide était un endroit où rien n'arrivait et où l'air était bon. Samuel ferma les yeux, regarda Maria et sourit. Elle n'avait jamais eu le teint aussi clair.

Le concierge était assis devant le ventilateur. Il fixait les pales immobiles. Rêvant de courants d'air, il dit à Bronchowski :

— Vous ne connaissez vraiment pas l'électricité ?

— Vraiment pas.

— C'est dommage. Cet hôtel aurait besoin de quelqu'un dans votre genre, mais qui connaîtrait l'électricité. Quelqu'un qui saurait réparer les ventilateurs, les prises et qui ne fasse pas d'histoires. Un type qui soit sûr de son affaire. Des fois, je rêve que j'appuie sur le bouton et que ça marche. Il faudrait un spécialiste.

— Pourquoi n'en faites-vous pas venir un ?

— Il n'y a plus d'argent. Les étages ne payent plus leurs chambres. Il n'y a plus d'argent nulle part. La seule chose qu'on puisse offrir à un spécialiste pour son travail, c'est un lit, une chaise et un lavabo. Alors vous pensez, les spécialistes, ils ont déjà tout ça, ça ne les intéresse pas. Qu'est-ce que vous voulez qu'ils fassent d'un lavabo et d'un lit ? Non, ce qu'il faudrait, c'est que les étages payent ce qu'ils doivent. Ce serait normal. C'est normal de payer pour dormir dans un hôtel. Ici, une fois qu'ils se sont acheté de quoi manger, il ne leur reste plus rien pour régler leur sommeil. Le patron dit qu'on ne peut pas les mettre dehors. Il fait ce qu'il veut, c'est son hôtel.

— Il y a longtemps que Saroyan vit ici ?

— Je n'ai rien à dire sur les clients.

Le concierge se redressa sur sa chaise, prit le ventilateur d'une main, fouilla de l'autre dans le tiroir, en sortit un tournevis et, sans illusion véritable, entreprit de démonter l'engin une nouvelle fois.

Mme d'Urville dévala l'escalier. Son peignoir volait dans tous les sens. Elle poussait de petits cris et paraissait essoufflée. Ses cheveux étaient en désordre. Elle s'arrêta en bas des marches et dit en s'adressant aux deux hommes :

— Le muet est mort, il s'est suicidé.

Elle était si bouleversée qu'elle ne s'apercevait même pas que ses seins sortaient de sa tenue. Le concierge n'en revenait pas. Il les fixait avec fascination. D'un bond Samuel fut à l'étage. Il se fraya un passage parmi la masse des locataires agglutinés devant la porte ouverte. Dans la chambre, le muet pendait au bout d'une corde. Personne ne l'avait décroché. Ses yeux étaient grands ouverts et fixaient le plafond. Il était seulement vêtu d'une sorte de pyjama bleu marine dans lequel il avait apparemment uriné. Dans la pièce, tout était parfaitement en ordre. Yossarian était assis sur le rebord du lit. Il semblait encore avoir grossi depuis le matin. Comme pour bien se convaincre que le muet ne leur jouait pas un nouveau tour, il surveillait le mort. Samuel se dirigea vers le pendu. Sa peau était déjà froide. Yossarian dit :

— Cette fois, je crois qu'il ne parlera plus.

Alors, il éclata en sanglots, le visage dans ses mains. Il répéta :

— Je n'ai pas voulu ça. Si j'ai crié ce matin, c'est parce qu'il mentait, parce qu'il nous trompait, mais je n'ai pas voulu ça.

Samuel s'approcha de Saroyan et posa sa main sur son épaule. Il eut l'impression de toucher une plaque de beurre mou. La chair n'avait pas de consistance. On s'y enfonçait sans jamais y rencontrer d'os. C'était une sorte de vase. Le concierge de l'hôtel entra comme une furie. Il criait des injures à tous ceux qui s'étaient attroupés dans le couloir. Il était hors de lui. Encore un type parti sans payer. Au moins, cela lui faisait une chambre libre. Mais ce qui le contrariait par-dessus tout, c'était d'avoir dû laisser son ventilateur, à moitié démonté, sur le comptoir. En désignant Bronchowski d'un signe de tête, il dit :

— Aidez-moi à le décrocher.

Ce fut difficile, et désagréable. Les deux hommes eurent toutes les peines du monde à ramener le mort sur terre. A un moment, Samuel eut contre son visage la tache d'urine. Dessous, il perçut quelque chose de dur. Maintenant le muet était sur le plancher. Le concierge lui avait fermé les yeux. Bronchowski, près du lavabo, se lavait les joues. Entre deux sanglots, Yossarian disait à son ami :

— Faites attention, ce n'est pas de l'eau de pluie, c'est de l'eau sale.

Le concierge tournait en rond en répétant qu'il allait falloir encore payer pour sortir ce cadavre de là et « donner de l'argent pour des morts alors qu'ici plus rien ne marche ! »

Le calme régnait de nouveau dans la chambre. Il ne restait plus que le muet, couché, Yossarian, assis, et Bronchowski, debout. La pluie ruisselait sur la vitre et les gouttières faisaient un bruit de torrent. Saroyan mit une main dans sa poche, en sortit une enveloppe brune et la tendit à Samuel :

— Sur son lit, il y avait ça. C'est pour vous, votre nom est écrit dessus. A votre place, je ne l'ouvrirais pas, je la brûlerais. C'était un homme si bizarre que je le crois capable de vous faire encore du mal de là où il est.

Bronchowski s'attendait à une lettre. Il trouva des photos. Des photos de lui, dans son sommeil, à demi nu, les muscles du visage tordus par les fièvres, le corps démantibulé par les cauchemars. C'étaient des images horribles, des poses dégradantes, toutes les couleurs de la souffrance et de la maladie, la dérision de l'homme. Samuel regarda une dernière fois celui qui avait pris ces clichés. Il regretta de ne pas avoir lui-même, à ce moment, un appareil. Dans son pyjama bleu, taché, le muet aurait fait un beau sujet. Yossarian ne chercha pas à savoir ce qu'il y avait dans l'enveloppe. Il se leva, essuya ses joues et sortit dans le couloir sans rien dire. Bronchowski se retrouva seul dans la chambre du mort. Il y demeura jusqu'à ce que le jour baisse, jusqu'à ce qu'une odeur de cuisine s'infiltre par la porte. Yossarian s'était mis au fourneau.

La nuit donnait au cadavre une couleur de lune. Samuel regarda les lèvres du muet. Leur contour était atténué. On aurait dit une vieille tache qui peu à peu s'estompait. Bientôt, on ne les distinguerait même plus du reste de la peau. Bronchowski songea que c'étaient là des lèvres presque neuves, des lèvres qui n'avaient pratiquement jamais servi, qui ne s'étaient soulevées que pour contraindre quelques mots maladroits, préférant la rigidité du silence aux postillons de l'existence. Puis il quitta la chambre et descendit dans le hall. Le concierge était assis dans un fauteuil face à l'entrée. Il regardait la rue. Samuel dit :

— Vous avez prévenu quelqu'un pour le corps ?

— Ça fait trente ans que je fais ce métier, et ce n'est pas le premier client qui meurt dans sa chambre. Je sais ce que j'ai à faire.

— Où va-t-on l'enterrer ?

— Je l'ignore. Aujourd'hui plus rien n'est pareil. On m'a seulement dit qu'on viendrait dans la nuit, que des gens viendraient et qu'ils emporteraient le cadavre. Après, ils en feront ce qu'ils voudront. En tout cas, ce qui est sûr, c'est que l'hôtel va devoir payer l'enlèvement.

— Cela faisait longtemps que le muet habitait ici ?

— Je vous ai déjà dit que je ne répondais jamais aux questions sur les pensionnaires. Celui-ci, même mort, tant qu'il est dans sa chambre, fait encore partie de la clientèle.

Le concierge tournait le dos à Samuel, les yeux perdus dans l'averse, fixés sur le point extrême de la longitude des lassitudes. Il parlait d'une voix sans contour, une voix de bouche. Il disait :

— Je ne peux plus supporter les gens comme vous, les gens qui dorment et qui ne payent pas, les gens qui posent des questions et qui ne connaissent même pas l'électricité. Vous et tous ceux qui sont là-haut, vous avez détruit cet hôtel, vous l'avez usé, vous l'avez souillé avec vos transpirations et vos odeurs de cuisine, vous avez tout sali, tout abîmé, tout dégradé, vous n'avez rien respecté, c'est un malheur.

— J'ai toujours eu l'intention de payer mon séjour.

— Et qu'est-ce que ça changera ? Vous croyez que l'hôtel revivra pour autant ? Il y a les autres, tous les autres dans les étages, ces rats dégoûtants dans leurs trous infects. Vous paierez peut-être, mais vous êtes comme eux, j'ai l'habitude, vous êtes comme eux, vous ne savez rien de l'électricité. Pour que les choses changent, il faudrait qu'un type qui connaisse l'électricité vienne s'installer ici. Alors là, bon Dieu ! oui, on verrait qui est le patron.

— On m'a dit que le patron était très malade.

— Oui, il est malade de voir ce que ces barbares ont fait de son hôtel. Il ne sort plus de son appartement et préfère ignorer ce qui se passe chez lui. Il me laisse me débrouiller seul. Mais qu'est-ce que vous voulez que fasse un type seul contre une armée de rats ? Quand je pense qu'autrefois toute la côte descendait ici à la bonne saison. Chaque chambre avait un bouquet de fleurs fraîches et on pouvait se raser ou brancher une lampe à toutes les prises de courant. Ça, c'était du confort. Il y avait en permanence deux porteurs dans le hall, et il aurait fait beau voir que quelqu'un s'en aille sans payer. Aujourd'hui, je ne tiens même plus de registre.

Dehors, dans la boue, une voiture klaxonnait et repoussait des corps avec ses ailes, son capot ou son pare-choc. Elle semblait avancer dans un bocal de miel d'homme. A l'intérieur, des gens dont on ne distinguait pas le visage roulaient, toutes vitres remontées. Regardant la scène, Samuel pensa : « La vraie barbarie est dans ce pays, dans cette voiture. » Sans se retourner, et d'une voix toujours étale, le portier marmonna :

— Il n'y a plus de registre, plus rien.

Bronchowski remonta à l'étage. Une insupportable odeur de graillon s'évadait de la chambre de Yossarian. Des paquets d'une fumée bleutée et grasse s'engouffraient dans le couloir. On percevait le grésillement désagréable d'une friture dans l'huile bouillante. Malgré la chaleur, Saroyan était vêtu d'un lainage grisâtre. Quand il aperçut Samuel dans l'embrasure de la porte, il eut un geste féminin de confusion, tira son pull, passa sa main dans ses cheveux, puis, le plus gentiment du monde dit : « Le repas est prêt. » A cet instant, avec ces mots dans la bouche, cette expression de douceur dans le regard, cette gêne fébrile, Yossarian ressemblait à une femme, une épouse qui maquille ses disgrâces sous le fard de sa cuisine, qui sait que son corps est perdu et tente de satisfaire celui de l'autre en le remplissant, espérant qu'à défaut de tendresse il éprouvera au moins la reconnaissance du ventre. En voyant la disposition des couverts, Samuel comprit que, ce soir-là, Saroyan avait mis les petits plats dans les grands.

Ils dînèrent avec une grande économie de mots et un petit appétit. Au milieu du repas, deux hommes entrèrent dans la chambre et demandèrent où se trouvait le corps. Yossarian se leva et les conduisit à la porte en face. Les types harponnèrent le muet par les pieds et les bras et s'y prirent à deux fois pour l'allonger sur une civière. Ils essayèrent à plusieurs reprises de lui croiser les bras sur le ventre, mais les membres retombaient par terre. Saroyan retourna dans sa chambre et se posta devant la fenêtre. Il vit les hommes balancer le cadavre du muet dans une camionnette parmi d'autres corps. Tous avaient les yeux fermés. Ainsi disposés, ils semblaient dormir. La pluie les lavait.

Vers la fin du dîner, Mme d'Urville entra avec une boîte de gâteaux secs. Cela rendit le sourire à Saroyan qui se mit à préparer du thé.

— C'est fait ? demanda la femme.

— Ils sont venus tout à l'heure, répondit Yossarian.

— C'est la première fois que je vois un suicidé.

— Vous savez, madame d'Urville, un suicidé est un mort comme un autre.

— Peut-être, mais il est rare de voir un défunt accroché au plafond. Je ne comprendrai jamais les gens qui se pendent. Je trouve ça dégradant. Vous avez vu ces taches sur son pyjama ? Il y a quand même des façons plus propres d'en finir avec la vie. Il faut penser à ceux qui restent, ceux qui vous découvrent, il faut penser à eux, cela fait partie du respect humain. Les règles du savoir-mourir s'apparentent à celles du savoir-vivre.

Mme d'Urville semblait satisfaite de sa phrase. Elle dressait la tête comme un oiseau prétentieux. Son cou était aussi raide qu'une échelle. Yossarian disposa les tasses sur la table et s'assit en face de Samuel. Il dit :

— Mes amis, je dois vous dire quelque chose. Je ne vous en ai pas parlé tout de suite pour ne pas vous inquiéter, mais avec tout ce qui vient de se passer je préfère vous dire la vérité. Voilà, le projectionniste n'a pas reparu à l'hôtel depuis trois jours, et toutes ses affaires sont encore dans sa chambre. J'ai appris qu'il ne s'était pas présenté non plus à son travail au cinéma. Avec tous les événements actuels, je pense que nous ne le reverrons plus. C'était mon plus vieil ami. Maintenant il ne me reste plus que vous.

Samuel se sentit mal à l'aise. Il ne voulait pas de cette affection, pas ici, pas à ce moment. Yossarian reprit :

— Cet après-midi, en préparant le repas, j'ai beaucoup réfléchi. J'ai pensé que ces deux chambres vides voulaient dire quelque chose. Pour moi, elles annoncent d'autres départs. Peu à peu, vous verrez, l'étage va se vider, puis l'hôtel tout entier. Nous allons vers la solitude, de longs moments de solitude, je le sens, c'est difficile à expliquer, mais je le sens.

— Mais enfin, Yossarian, pourquoi voulez-vous que l'hôtel se vide ?

— Parce que le hall, puis la rue vont nous aspirer, madame, tout, un à un.

— Vous dites des bêtises. Ce qui s'est passé aujourd'hui vous a tourné la tête. Si j'avais su, je ne serais pas venue. Avec tout ça, quand je vais me retrouver seule dans ma chambre, je vais m'angoisser. Vous, monsieur Bronchowski, vous comprenez ce qu'il dit ?

Samuel regarda Saroyan. Il chercha une réponse sur ce visage triste. Il ne découvrit que des yeux déçus par la lumière, des yeux minables, sales, sans dignité, mais des yeux capables de lire la vie sans lunettes. Alors il préféra se taire.

Yossarian se leva brusquement et se dirigea vers son fourneau. Il s'affaira ainsi un long moment, sans but précis, changeant seulement de place quelques ustensiles. Il tournait le dos à Samuel.

Le climat de la pièce devint insupportable. Plus personne ne parlait. La chambre ressemblait soudain à une salle d'attente de dentiste. A cela près qu'ici les caries étaient dans les têtes. Elles rongeaient lentement les pensées et donnaient aux idées une haleine accablante. Saroyan s'imaginait déjà dans le désert des couloirs, découvrant l'absence derrière les portes. Il était convaincu qu'il serait le dernier à quitter l'hôtel puisqu'il était le plus lourd, celui qui possédait la plus grande force d'inertie. Il aurait donc la douleur de les voir partir les uns après les autres, il les perdrait lentement, goutte à goutte, et chaque fois son chagrin serait plus grand.

Cela se passerait ainsi, il en était convaincu. Il était impossible que la vie continue comme ça, avec cette guerre, cette misère et cette pluie. Non, la vie n'en pouvait plus. Il fallait qu'elle se vide, quelque part, dans un égout, une bonde. Yossarian passa une main sur son visage et ses doigts s'enfoncèrent dans la graisse. Il se demanda si, avec sa corpulence, le moment venu, il passerait par le trou.

Samuel, lui, n'était pas effrayé par le vide. Au contraire. Là, dans ces dunes livides de l'espace, il avait coutume de retrouver Maria. A ce moment, il était avec elle, au bord de la mer, durant cet été si chaud que certaines villes du Sud avaient manqué d'eau. Samuel avançait dans les vagues de l'océan avec sa fille pendue à son cou comme un collier. Chaque fois qu'un rouleau les percutait, la petite fille fermait les yeux et criait d'excitation La solidité de son père la rassurait. Elle s'accrochait à lui comme à un rocher et l'enserrait à chaque fois que l'eau les frappait. Il la protégerait toujours. Ce jour-là, le soleil était fort comme du vin.

Mme d'Urville n'affichait plus son visage de courtisane. Elle observait ces deux hommes perdus dans les brouillards de leurs têtes. Ils l'avaient abandonnée au bout de cette table, parmi les miettes et les restes du réel. Mme d'Urville appréhendait sa nuit, le silence derrière la cloison du muet, la respiration calme de la guerre, le bruit de l'averse et l'indifférence du lit. Ce soir, il n'y aurait personne entre ses jambes, seulement du vide dans son ventre. Il pleuvait trop pour sortir, et elle voyait tous les clients de l'étage comme autant de cadavres. Elle aurait eu trop peur de s'endormir avec l'un d'eux.

Le concierge frappa à la porte.

— Je voulais vous dire qu'il faudra que l'étage se cotise pour rembourser l'enlèvement. J'en ai parlé au patron, il dit que c'est juste.

— Vous savez bien que plus personne n'a d'argent, dit sèchement Yossarian.

— Il faudra pourtant que vous en trouviez. L'hôtel

n'est pas une œuvre de bienfaisance. L'hôtel, c'est un endroit où on paye pour dormir. Vous avez tous oublié ça. Et moi je viens vous le rappeler parce que c'est la règle, c'est ainsi que doivent se passer les choses. Vous pouvez le dire dans les chambres.

— Vous êtes ridicule, vous êtes un être stupide et ridicule. Retournez au rez-de-chaussée, vous êtes indigne de monter dans les étages.

— Je répéterai tout cela au directeur, monsieur Saroyan, je lui dirai que vous vous comportez comme un meneur et je vous ferai chasser, vous, vos odeurs et vos amis.

Il claqua la porte. Elle rebondit sur l'huisserie.

La nuit fut pénible. D'abord la guerre passa sous les fenêtres de l'hôtel. Elle fit le bruit d'un gros camion qui manœuvre, avec des allées et venues incessantes. Et puis la pluie, lourde comme de l'huile, propulsée par le vent, s'écrasa contre les vitres. Sur son lit, les yeux ouverts dans le noir, Samuel écoutait le vacarme désordonné de cette gare de triage de la vie. Il entendait aussi des gémissements qui provenaient de la chambre de Yossarian. Cela ressemblait à des plaintes d'enfant, à la musique difforme des rêves pénibles.

Alors, confusément, Bronchowski éprouva des sentiments similaires à ceux que le gros homme avait formulés à table. Il comprenait que tout allait bientôt se rompre, l'hôtel, la rue, les gens, et qu'il avait peut-être fait tout ce voyage pour rien. Il fallait pourtant que la misère endure encore quelques souffrances, qu'elle tienne encore un peu, qu'elle lui laisse le temps de retrouver Gloria. Pour lui dire, en une seule respiration, que l'enfant était morte. La suite ne le concernait plus. La suite pourrait devenir de l'histoire, de la pluie, ou simplement des journées interminables avec des nuits pour les différencier. Quelque chose était imminent, il le sentait au fond de lui, sur ce lit malodorant et moite. Il pensait aux hauts murs qui entouraient la propriété de Bowan et à la fragilité de leur avenir. Bientôt, ils ne dissimuleraient plus rien. Alors, dans sa tête s'installa une phrase, une phrase qui répétait : « Clôture d'époque. » Maria ne comprit pas tout de suite ce que cela voulait dire. Avec des mots choisis, Samuel lui expliqua les cycles du chagrin et conclut en disant que des temps allaient finir. Maria demanda ce qui se passait après que des temps sont finis. Bronchowski avoua qu'il n'en savait rien. Et puis il sursauta. Il venait de voir s'ouvrir la porte de sa chambre. Il songea au muet, il l'imagina les doigts crispés sur son appareil photographique, attendant l'instant propice pour se faufiler au pied du lit et regarder la couleur du sommeil des autres avec ses yeux de malade. Tout cela était impossible puisqu'il l'avait dépendu, tout à l'heure. Il l'avait tenu mort dans ses bras, il avait eu son urine froide contre sa joue, et cette chose, aussi, sous son pantalon. C'est alors qu'il vit avancer, dans le noir, le corps énorme de Saroyan.

— Qu'est-ce que vous faites là ?

L'autre ne fit aucune réponse et s'avança dans la chambre. Quand il fut tout proche de la couche, il s'agenouilla par terre et murmura : « J'ai peur. » Puis il ajouta : « Vous êtes mon ami, alors vous ne me refuserez pas cette faveur : laissez-moi dormir ici, cette nuit. Je me coucherai par terre, je ne vous dérangerai pas, je respirerai à peine. Je veux juste être près de vous. Comme ça, au moins je sais qu'il ne m'arrivera rien. » Sans attendre la réponse de Bronchowski, il se pelotonna au sol comme un animal flatté d'être autorisé à dormir près des hommes, et demeura immobile. C'est à peine si l'on entendait le va-et-vient de son souffle. Samuel songea que s'il advenait que Yossarian un jour, se pendît, jamais il ne parviendrait à le décrocher.

7

LES JETÉES DE SOLITUDE

Cette nuit, la pluie ressemblait à de la salive. Sa consistance était différente. Elle avait quelque chose d'organique. Bronchowski la regardait s'accrocher sur la vitre. Le couloir était mal éclairé. Sans doute dans le but de réaliser des économies, le concierge avait enlevé une ampoule sur deux.

Samuel n'arrivait pas à bien comprendre les réactions de ce portier. Il ne pouvait s'imaginer que l'on puisse s'attacher à défendre des décombres avec autant d'acharnement. Cet homme s'agrippait au ventre d'un mort. Contre toute logique, il voulait transfuser un gisant.

Soudain, Samuel sursauta. Une voix couvrait le bruit de la pluie. Dehors, une camionnette surmontée de deux haut-parleurs tournait en rond sur la place. Les rues étaient vides, la voix précise, presque douce. Elle disait des choses que Samuel ne comprenait pas, mais qui lui faisaient peur. Elle semblait répéter la même phrase à intervalles réguliers. Samuel distingua deux hommes à l'intérieur du véhicule. Les mots étaient de plus en plus détachés, clairs, effrayants. Ils faisaient vibrer les vitres et cassaient les gouttes de pluie. La camionnette s'arrêta et la voix se tut. D'un bond, Samuel s'écarta de la fenêtre. Il se figurait qu'à cet instant précis, le conducteur scrutait les façades. Au bout de quelques minutes le moteur du véhicule se remit en marche, et les annonces reprirent. Peu à peu, la voix perdait de son intensité. Elle s'éloignait. Bronchowski se replaça devant la fenêtre, puis, avec d'infinies précautions, l'entrouvrit. Ses yeux scrutaient la nuit. Ils ne voyaient rien, aveuglés par les crachats de la pluie. Pour regagner son lit, Samuel dut enjamber Saroyan. Il dormait comme une flaque. Ses paupières grasses transpiraient, sa bouche soufflait un air brûlant. Bronchowski examina le ventre affalé et préféra ne pas imaginer ce qui se trouvait à l'intérieur. Yossarian, couché auprès de son ami, n'avait pas entendu la voix.

Une heure plus tard, Samuel était toujours éveillé. Il se releva et descendit dans le hall de l'hôtel. Tout était noir. La grande porte d'entrée était ouverte et laissait passer quelques bourrasques de pluie.

— Vous attendez quelqu'un ?

C'était le concierge. Il était sorti de derrière son comptoir. Comme Samuel ne répondait rien, il reprit :

— Monsieur, je vous demande si vous attendez quelqu'un.

— Non, je n'attends personne.

— Alors, vous n'avez rien à faire dans le hall au milieu de la nuit.

Bronchowski se cala contre la porte et se laissa envahir par le bruit de l'averse. Le concierge avait fait de la lumière et revenait à la charge.

— Vous n'avez rien à faire ici, vous ne payez pas, donc vous n'avez rien à faire ici. Cet endroit est réservé pour le passage. Il doit rester libre, et, là, vous encombrez. Bien sûr, à cette heure-ci, personne ne viendra, mais c'est une règle, et il est nécessaire de respecter les règles. Vous m'entendez, monsieur ?

Samuel fit oui de la tête, se dirigea vers un fauteuil dans lequel il s'affala, laissant pendre sa tête en arrière.

— Vous avez une chambre, vous n'avez pas à dormir ici. Ici, c'est un hall, pas une chambre. Tout ce qui nous arrive, c'est à cause de gens comme vous qui se croient tout permis, qui se lèvent la nuit et viennent rôder là où ils n'ont rien à faire, qui allument des lumières et consomment de l'électricité. Vous vous moquez de l'électricité, vous vous moquez de tout.

— Vous avez entendu la voix dans le haut-parleur tout à l'heure ?

Le concierge se figea et retourna derrière son comptoir. Au bout d'un moment il dit :

— Tout le monde l'a entendue.

— Qu'est-ce qu'elle disait ?

— La même chose que moi sous une autre forme.

— C'est-à-dire ?

— Je n'ai pas à vous répondre, vous n'êtes pas de ce pays, cela ne vous regarde pas. Remontez dans votre chambre.

Samuel observa le concierge. Son visage était fermé comme un contrevent. Derrière, on sentait qu'il se passait des choses curieuses, qu'un homme s'y dissimulait dans l'ombre pour économiser l'électricité et les quelques certitudes qui lui restaient. Ce qu'avait dit cette voix le faisait taire. Et ses yeux regardaient le sol.

— Je crois que bientôt vous n'aurez plus grand monde à surveiller, dit Samuel. Je crois que tout ça va bientôt se terminer. Il n'y aura plus d'électricité nulle part, et votre hôtel se videra dans le noir comme un vieux ventre.

— Je ne vous autorise pas à parler de l'hôtel, cria le concierge. Cet endroit, même délabré, vaudra toujours mieux que vous tous. Ici, il s'est passé des choses, des choses dont vous n'avez même pas idée. Il y a eu de la tendresse, de la politesse, de la délicatesse, des hommes qui portaient beau et des femmes qui parlaient bas. Et puis des gens comme vous sont arrivés, des gens de peu, des gens de rien. La nuit, je les entendais, là-haut, se monter dessus et crier et rire. Ils sortaient dans les couloirs à moitié dévêtus, dormaient les uns chez les autres et se levaient avec des visages froissés, des visages qui ressemblaient au vôtre. Cette nuit, à cette heure-ci, je peux vous le dire : vous n'êtes rien, absolument rien, vous n'existez pas, vous êtes déjà mort. Et vous savez pourquoi ? Parce que vous n'êtes pas couché sur mon registre. Sur mon registre, il n'y a rien, officiellement votre chambre est libre, vous n'y dormez pas, vous n'y dormirez jamais. Vous n'êtes jamais descendu dans cet hôtel, vous n'avez jamais traversé ce hall, je ne vous ai jamais vu, je ne vous connais pas. On ne marque pas des gens comme vous dans un registre. L'autre jour, vous m'avez dit que vous me paieriez. Vous ne l'avez pas fait. Je savais que vous ne le feriez pas. Vous êtes comme les autres, pareil. Un matin, on monte dans votre chambre, et vous êtes parti. Disparu. Ou alors on vous retrouve mort, en travers du lit avec vos déjections ou votre sang partout. Et il faut vous ramasser, remettre un peu d'ordre et payer l'enlèvement. Mais on ne se débarrasse pas de votre odeur. Quand on nettoie la chambre, on s'aperçoit que l'électricité est cassée ou qu'une ampoule manque ou que la chaise est trouée. Alors vous me dégoûtez tous, vous me dégoûtez tellement que je ne veux même plus savoir vos noms, je ne veux plus les voir dans mon registre.

De son fauteuil, Samuel regardait tomber la pluie. Les gouttes semblaient coupantes comme des lames de rasoir. La voix du concierge était presque devenue douce. Il poursuivait ses litanies d'un timbre monocorde. Peu à peu, les mots s'enroulaient autour de sa langue, son phrasé devenait indistinct. Il finit par se taire. Sa tête reposait sur ses deux poings. Il regardait le carrelage. Autrefois, il avait dû être brillant.

Le jour n'était pas encore levé, mais c'était déjà la fin de la nuit. Samuel ouvrit les yeux. Il avait dormi une heure ou deux, dans ce fauteuil, au milieu du hall. Il s'apprêtait à remonter dans sa chambre quand il entendit à nouveau la voix du haut-parleur. La camionnette avait stoppé au milieu de la place. Samuel n'osait pas bouger. Dans son dos, le concierge dit :

— Il n'y a rien à attendre de types comme vous.

Et il traversa calmement le hall avec son registre sous le bras, se posta bien au centre de la grande porte et hurla quelque chose aux hommes de la camionnette. La voix, dans le haut-parleur, se tut. Le concierge avança d'un pas, et la pluie arracha le bas de son pantalon. Il se mit encore à vociférer. Cette fois, les mots sortaient de sa bouche comme s'ils étaient propulsés par une fronde. Il criait comme quand on tombe dans le vide, sans retenue, à se faire exploser la gorge. Dans son poing, il brandissait son livre. La voix du haut-parleur, cette fois, sembla s'adresser à lui. Elle aussi avait haussé le ton. Le concierge avait encore avancé d'un pas. Il était maintenant sur le trottoir, et la pluie lui tailladait le corps. Avant de sortir, il avait lancé son registre qui avait atterri aux pieds de Samuel dans le hall.

Il y eut un coup de feu. Le concierge recula d'un pas, sembla hésiter, puis lentement tomba à la renverse. Sa nuque rebondit sur le trottoir, et la pluie, très vite, se mit à laver tout le sang qui coulait autour de sa bouche. Les gouttes rebondissaient dans ses yeux ouverts. Au bout d'un court instant la camionnette quitta la place, et la voix qui paraissait cette fois très énervée recommença d'habiter la nuit. Samuel ramassa le registre et le déposa sur le bureau.

En montant l'escalier qui le conduisait à l'étage, il se mit à penser très fort à Maria. Quand il poussa la porte de sa chambre, il trouva le corps affalé de Yossarian. L'odeur âcre qu'il dégageait avait envahi la pièce. Samuel ouvrit la fenêtre et l'averse se rua à l'intérieur. Vers l'est, on devinait les premières clartés du jour. En allant vers son lit, Bronchowski eut la tentation de réveiller Saroyan. Il se contenta de l'enjamber. Ensuite, à plat dos, il colla ses yeux au plafond dans l'espoir d'y retrouver la couleur de Maria. Il n'y aperçut que le corps nu de Gloria qui, sous la pluie, se tordait de plaisir sur un homme raide qui la regardait avec les yeux d'un mort. Sous l'eau, ses jambes luisaient, et l'effort faisait ressortir les muscles tendus de ses mollets. Des mèches détrempées ruisselaient sur son visage pendant que ses doigts s'enfonçaient dans la boue. Elle disait des choses abominables, insultait le cadavre qui la possédait et frappait violemment sa tête contre le sol. Samuel n'avait jamais vu Gloria dans un tel état. Alors il la regarda faire, fasciné. Il pensa aussi à l'homme qu'elle avait sous elle. Puis s'en désintéressa : il était mort. Quand Samuel rouvrit les yeux, il vit une lumière misérable et le visage gras de Yossarian qui transpirait derrière la fumée d'une tasse de thé.

Ce matin, par petits groupes, les gens parlaient dans les couloirs. Quand Samuel descendit l'escalier il eut un regard pour les restes du ventilateur abandonné sur le comptoir de la réception.

Dehors, il marcha à grands pas droit devant lui. Il était aussi pressé de se retrouver chez Bowan que de quitter cet endroit. Sa chambre et la proximité de Saroyan lui étaient devenues insupportables. Il ne pouvait plus accepter le corps de cet homme affalé au pied de son lit, ni ce visage boursouflé. Sous un climat tempéré, Yossarian aurait pu être un voisin agréable. Mais pas ici, pas dans cette soupente du monde qui tourmentait les ventres, pas dans cet ergastule noyé de pluie, cette soupière tiède où Saroyan flottait comme un morceau de viande, un abat. « S'il pouvait, s'il osait, se dit Samuel en marchant, je suis sûr qu'il me lécherait, qu'il sortirait sa petite langue de limace et qu'il me lécherait. » La rue était pleine. Les gens ne disaient rien et se frôlaient. Samuel n'avait encore jamais vu un tel désordre, une telle densité. Il apercevait la propriété de Bowan. On en devinait les contours arborés. Quand Samuel se présenta devant le grand portail, la pluie s'empalait sur la pointe des grilles. Il la regarda mourir ainsi en attendant qu'on lui ouvre. Le domestique avait un visage souriant. Il dit :

— Bonjour, monsieur, monsieur vous attend.

Bronchowski avança dans l'allée en refusant de penser à quoi que ce soit. Il maintenait à distance toutes ses émotions. « Quand la porte s'ouvrira, songea-t-il, et que Gloria apparaîtra, je dirai simplement : "Bonjour Gloria. Je suis simplement venu te dire que Maria était morte. Notre fille nous a quittés." Puis je sortirai tranquillement par la grande grille sans rien ajouter ni retrancher. Ça se passera exactement comme ça. »

— Monsieur Bronchowski, je vous attendais.

Bowan portait un ensemble bleu marine fermé jusqu'au cou. Reposant sur son fauteuil, ses jambes étaient parallèles et mortes. Il n'y avait aucun mystère dans ses yeux, aucune gêne. Il était seul.

— Votre femme n'est pas là, je suis désolé. Je n'ai aucune nouvelle.

Samuel eut l'impression que ses pieds s'enfonçaient dans du sable glacé. Il passa sa main sur sa cuisse et dit :

— Ce n'est pas grave. Je vais l'attendre un moment, si vous le permettez.

— J'en serai ravi, monsieur Bronchowski. Le jour commence, c'est un jour comme un autre, tout peut arriver.

Samuel s'installa dans un vaste fauteuil du grand salon, et les deux hommes demeurèrent un long moment en silence. Leurs yeux plongeaient dans les arbres du parc. On aurait dit qu'ils y cherchaient de la fraîcheur.

— Monsieur Bronchowski, j'ai eu ce matin un appel de Senanakaye. Il m'a longuement parlé de la guerre. Sur la côte, il paraît qu'il se passe des choses terribles.

— Ici aussi, dit Samuel, juste là, à deux pas de vos murs.

— Ne me dites rien, ne me racontez plus rien. J'ai fait édifier ces clôtures pour me préserver de toutes ces choses, pour ne pas les voir, ne pas les entendre, alors je vous en prie, à partir d'aujourd'hui, taisez-vous et laissez-moi ignorer tout cela tant que c'est encore possible. Pour moi, le monde commence et finit ici, le long de ces allées et au bout de ces massifs. J'y vis depuis toujours et je n'en ai pas encore fait le tour. Vous ne pouvez comprendre cela, et pourtant c'est ainsi, c'est l'état des choses.

— Vous m'avez déjà parlé de ça hier.

— Et je vous en parlerai chaque fois que je vous verrai jusqu'à ce que je sois sûr que vous m'avez accepté ainsi, que vous soyez bien pénétré de l'importance de cet endroit. Vous savez, je n'aime ni ne déteste les hommes, simplement je ne les connais pas. Certains insectes me sont même plus familiers. Des hommes je ne veux rien savoir, ni pourquoi ils se battent ni comment ils meurent.

— Je crois avoir compris tout cela.

— Voyez-vous, monsieur Bronchowski, j'ai toujours été ainsi. Je n'ai jamais été intéressé par mes semblables, je crois même que je ne les ai jamais aimés. Ils sont d'une espèce trop complexe, trop dangereuse. On n'est jamais sûr d'avoir apprivoisé un être. Alors, avec ma fortune, j'ai acheté de la distance entre eux et moi. Ne croyez pas pour autant que je m'estime d'une essence supérieure. Non, c'est tout le contraire. Je ne suis qu'un vieux monsieur dont une moitié ne fonctionne déjà plus et qui n'a pas d'idée particulière sur le monde. Ma vraie richesse, c'est cette distance entre la vie et moi. Le bonheur que me procure cette terre, je peux l'évaluer, le mesurer à un acre près, chaque mètre compte, chaque pas. Ici, je vis dans une sorte d'ambassade, un domaine jouissant de l'extra-territorialité. C'est sans doute pour cela qu'au temps de ses splendeurs cette maison était tellement prisée par les consuls.

— Cela peut finir d'un jour à l'autre, vous le savez.

— Vous vous souvenez de ce que je vous ai dit hier ? Des hommes, des hommes neufs passeront un jour par-dessus le mur, et chacun dira comme moi qu'une époque finit et qu'une autre commence. Un être parmi ces nouveaux venus, un seul, trouvera qu'ici l'on voit différemment les choses, et il s'y installera, peu à peu, jour après jour, sans vraiment s'en rendre compte. Et tout recommencera. Il élèvera d'autres murs de clôture, ouvrira de temps à autre sa porte à des hommes de l'extérieur, donnera des ébauches de fêtes, puis s'isolera, perdant chaque année davantage l'usage de ses jambes jusqu'à finir dans un fauteuil ridicule. Et lui aussi alors surveillera ses clôtures. Si des hommes les enjambaient pendant que je suis encore de ce monde, je ne sais pas ce qui se passerait. J'y ai souvent pensé. Que se passerait-il, à votre avis, monsieur Bronchowski ?

— Il vous faudrait alors apprendre à partager.

— Vous savez bien que c'est impossible. Ils voudront tout, et je ne pourrai me résoudre à céder quoi que ce soit. Je sais bien que ces arbres, cette terre, ces fleurs ne m'appartiennent pas et pourtant ils sont tout ce que je possède. Il y a là une nuance que des hommes nouveaux, je le crains, ne saisiront pas.

Dehors la pluie balayait le jardin, lissait le poil du gazon gras comme une entrecôte. C'était le milieu de la journée. Samuel regarda sa montre. Elle était arrêtée. Il passa le doigt sur le verre du boîtier en regardant le ciel de laine. Bowan, qui l'observait, dit :

— Avant, le temps était différent, depuis quelques années le climat a changé. Maintenant la saison des pluies dure toute l'année. Cela a peut-être un rapport avec ce qui se passe dans le monde. En tout cas je me demande comment la terre arrive à boire toute cette eau.

Le reste de la journée s'écoula en heures humides.

Le domestique apporta un déjeuner léger, mais les deux hommes n'y touchèrent pas. Ensuite, chacun s'enferma dans les greniers de sa tête jusqu'à ce que la nuit recouvre les arbres.

— Les journées n'en finissent pas quand on attend, dit Bowan. Elles s'étirent comme de vieux élastiques.

— J'ai l'habitude de ces journées-là.

— J'espère que mes silences de cet après-midi ne vous ont pas mis mal à l'aise ? Voyez-vous, à force de vivre seul, on devient économe de mots. La conversation est un exercice d'adresse qui demande de l'entraînement.

— Je me tais depuis longtemps, dit Samuel, depuis que ma fille est morte.

— Je pense à une chose, monsieur Bronchowski. Pourquoi ne pas vous installer ici pour attendre votre femme ? Au moins, vous serez là quand elle arrivera. Vous pouvez prendre les chambres du haut, je n'y vais jamais. Ainsi vous aurez vos aises et serez tout à fait indépendant.

— C'est très gentil, mais j'ai une chambre à l'hôtel, en ville. Je ne veux pas vous importuner.

— Vous ne me dérangez en rien. Rentrez chez vous ce soir, rassemblez vos affaires et venez avec elles ici dès demain. Qui sait, cela fera peut-être arriver votre femme.

Le vieil homme eut un sourire agréable, puis salua Samuel et quitta la pièce sur son fauteuil d'infirme.

Dans la rue, Bronchowski fut saisi à bras le corps par la pluie et le bruit. Les gens semblaient plus agressifs, plus énervés. Les chiens eux-mêmes avaient un air mauvais. A un moment, une voiture noire, large et puissante, essaya de fendre la foule à coups de klaxon.

Le chauffeur faisait rugir le moteur comme si le véhicule était enlisé. Centimètre par centimètre, la carrosserie repoussait les corps qui obstruaient la voie. A l'intérieur, un homme à lunettes parlait à une femme d'allure hautaine. Il lui parlait comme s'ils étaient seuls au monde, comme si les êtres qui glissaient contre les vitres étaient des arbustes ou des animaux. Samuel, pris dans la masse, se tenait à quelques mètres de ces passagers arrogants qui devaient avoir coutume de rire dans les hôpitaux et de s'embrasser dans les morgues. Samuel pensa à Bowan et à son obsession de l'extraterritorialité. Il y avait pourtant une différence entre les paroles du vieil homme et les visages méprisants de ces deux-là. La voiture n'avançait plus. Elle s'engluait dans la chair d'homme comme une mouche dans de la confiture.

Devant le capot, comprimés, étouffés, les gens criaient, hurlaient de douleur, essayant de s'agripper à la tôle avant d'être avalés par le moteur. Le chauffeur était livide. Il avait les yeux ouverts, mais son regard était vide. La foule, à poings nus, tapait sur la voiture et la balançait sur ses suspensions. Le moteur continuait son travail. Jusqu'au moment où l'amoncellement des corps fut tel qu'il se trouva dans l'impuissance de le surmonter. Les roues arrière du véhicule patinèrent et s'immobilisèrent.

Le front du chauffeur reposait sur le cercle du volant. Il venait de prendre une batte de bois sur la tempe. Du sang coulait de son oreille, et ses yeux regardaient fixement les cadrans. Toutes les vitres de la voiture volèrent en éclats. L'homme et la femme assis sur le siège arrière reçurent autant de coups que le monde pouvait en contenir. Ils essayèrent bien de se protéger, mais très vite se laissèrent envahir par la mort. Quand tout fut fini, la foule reprit sa marche autour de la voiture. Sous le capot, des corps déchirés grimaçaient encore. Le moteur, lui, au ralenti, ronronnait comme un gros chat. Une nouvelle fois, Samuel pensa à Bowan, il l'imagina dans son fauteuil, devant ses arbres, avec ses mots inutiles, ses phrases sucrées, son âme affectée et sa morale brodée. Il ne le jugea pas, le trouva seulement inutile. Il reprit sa marche.

A l'hôtel, derrière le comptoir de la réception se tenait un homme âgé d'une maigreur effrayante. On pouvait presque compter les os de son visage. En voyant Samuel, il se leva :

— Vous êtes en visite, monsieur, faites-vous partie de la clientèle de l'hôtel ?

— J'ai une chambre au premier, dit Samuel.

— Je suis le propriétaire, le propriétaire de l'hôtel. Mon concierge est décédé cette nuit, alors en attendant de le remplacer je m'occupe moi-même de la réception. Pardonnez-moi de vous poser cette question, monsieur, mais comme mon employé a laissé la comptabilité en désordre, je désirerais savoir si vous lui aviez déjà réglé quelque chose ?

— Non pas encore.

— Rien ne presse, monsieur, mais l'usage voudrait que vous me laissiez une petite somme, un acompte.

— Bien sûr, je vous réglerai demain.

— Rien ne presse, rien ne presse. D'autre part, quel est l'état de l'équipement électrique de votre chambre ? Est-ce que les prises et les interrupteurs fonctionnent ?

— Non, il y a seulement une bougie.

Je comprends. Pardonnez-nous, monsieur. Nous traversons une période difficile, et les hommes connaissant l'électricité ne sont pas nombreux. Tant que le courant n'est pas rétabli chez vous, vous êtes mon invité, vous ne me devez rien, ni acompte ni loyer, rien. On ne peut pas faire payer une chambre sans électricité, ce n'est pas possible.

Tout en parlant, le vieil homme actionna le bouton du ventilateur. Lentement, les pales se mirent à tourner. Après un départ laborieux, la machine trouva son rythme, avalant et recrachant l'air comme un poumon à turbine. Samuel observait ce spectacle comme un lever de soleil, il n'en revenait pas. Il regarda les os du visage du propriétaire. On aurait dit un champ de mines.

Le couloir du premier était mal éclairé. Quelques personnes attendaient devant la porte de la salle de bains. Quand Mme d'Urville aperçut Samuel, elle s'avança, faisant voler en tous sens les fleurs de son peignoir.

— Vous savez que le concierge est mort ? Vous le savez ? Je savais que vous étiez au courant. Je l'ai dit à Yossarian, il ne voulait pas me croire. Vous avez vu le patron ? Vous l'avez vu ? Vous le trouvez comment ?

— Je ne sais pas, poli, très maigre.

— N'est-ce pas ? C'est ce que j'ai dit à Yossarian. Dès que je l'ai vu, j'ai remarqué sa maigreur. Cet homme-là doit être malade. Il vous a parlé d'argent à vous aussi ? J'en étais sûre. Il a parlé d'argent à tous ceux qu'il a rencontrés. Vous trouvez ça normal, vous ? Moi, je dis qu'il a beau être le patron, il démarre bien mal dans le métier. Surtout s'il est malade. Bon, je vous laisse, sinon je vais perdre mon tour à la douche.

Elle s'éloigna tandis qu'une véritable gerbe de roses dodelinait sur ses fesses. Samuel entra dans sa chambre. Jamais elle ne lui était apparue aussi nue, aussi pauvre, aussi sale. L'intérieur d'une dent creuse ne pouvait évoquer autant de tristesse, et l'odeur même devait y être moins écœurante. Cette journée était passée comme une mauvaise nuit.

Elle n'avait servi à rien. Gloria n'était pas venue, Maria n'avait presque rien dit, et Bowan avait suivi ses vieilles lunes avant de se taire. Et, pour terminer, ce couple dégoûtant et ce chauffeur, les yeux dans ses compteurs.

Samuel quitta l'hôtel. Des trombes d'eau fouaillaient les rues vides. Aveuglé par l'averse, il n'avait plus qu'une idée en tête : retrouver la voiture noire. Il fallait qu'il s'en approche, qu'il regarde les propriétaires à l'intérieur puis les corps sous le capot. Demain il raconterait tout cela à Bowan, il respecterait la chronologie de l'horreur, restituerait les odeurs, les bruits, les cris, et l'autre devrait écouter jusqu'à la fin, jusqu'à ce que le moteur ronronne au ralenti.

Une dépanneuse était garée devant la limousine. Malgré l'obscurité, Samuel n'eut aucun mal à distinguer les yeux mouillés du chauffeur, les doigts cassés et raidis de la femme, la nuque éclatée de l'homme aux lunettes. Sous le capot, il y avait encore des corps écrasés entassés les uns sur les autres. En marche arrière, la dépanneuse manœuvra jusqu'à ce que son châssis effleure le crâne des morts. L'homme qui la conduisait avait une sale tête. La pluie s'engouffrait dans les plis de son visage et rebondissait en cascade au bas de son menton. Il actionna le crochet de sa grue, le câble se tendit et souleva l'automobile. L'homme arrêta son treuil. Comme on teste un vieux pneu, il tâta les cadavres du pied et les hissa un à un sur le plateau de son engin. Il les soulevait d'abord avec peine, puis d'un violent coup d'épaule les balançait sur la plate-forme. Les corps étaient affalés dans des postures ridicules. Des bouches embrassaient des pieds, des mains saillaient d'entre des jambes. Quand ce travail fut terminé, l'homme de la dépanneuse se dirigea vers la voiture, et jeta un coup d'œil vers les occupants de la banquette arrière, détacha les montres des poignets de l'homme et de la femme, et revint vers sa cabine. Le camion démarra au quart de tour. La boîte, elle, émit un sale bruit.

Samuel eut la tentation d'aller sonner chez Bowan et de tout lui raconter, les cinq morts sur le plateau et les trois autres accrochés comme des poissons au bout de l'hameçon. La maison était toute proche, mais Bronchowski n'osa pas s'y rendre. Il retourna à l'hôtel. En passant devant la chambre de Yossarian, il perçut immédiatement les effluves d'une préparation abominable. Et cela lui donna faim.

L'air était lourd comme de la boue. On avait l'impression qu'il colmatait la bouche et les poumons, qu'il pesait dans la poitrine. Samuel songea aux bronches de Yossarian, imaginant les énormes quantités de limon que devait charrier chacune de ses inspirations. Debout devant la fenêtre, il entendait son voisin aller et venir, gesticuler avec ses casseroles comme un singe de laboratoire. Dans le couloir, les gens parlaient d'une voix forte, comme si la mort du concierge leur avait redonné confiance. Il y avait bien le patron en bas, mais tous sentaient qu'il n'était pas à la hauteur, qu'il n'arrivait pas à la cheville de son employé. Le portier, malgré sa fonction, avait vraiment une âme de propriétaire. Le vieux, vidé par l'appétit de la maladie qui le dévorait, pouvait tout au plus prétendre au statut de gérant discret et débonnaire. Et, du coup, la vie avait repris. C'était comme si l'arrivée du nouveau tenancier annulait les arriérés, les dettes, les mauvais souvenirs, les nuits d'angoisse, les odeurs des canalisations, c'était comme si chacun débarquait pour la première fois dans l'hôtel, c'était une nouvelle ère qui commençait. Oui, dans la maison, l'atmosphère avait changé.

Chez Saroyan, les préparatifs étaient terminés. Maintenant, le plat mijotait. Seul Yossarian pouvait supporter l'odeur qu'il dégageait à ce moment-là. Samuel ouvrit la fenêtre. Une pluie fine et douce comme des cheveux d'ange se coucha sur le sol. Elle était si délicate qu'on eût dit du vent. L'air, en revanche, n'avait pas changé de consistance. La porte de Bronchowski s'entrouvrit. C'était Saroyan. Discret comme un convalescent, il salua son ami. Avec des pas dégoûtants et menus il s'approcha de la fenêtre :

— Vous ne devriez pas ouvrir, la chaleur entre.

Il glissa ses mains boudinées sous ses aisselles et ajouta :

— Vous avez vu le propriétaire, en bas, vous avez vu cette maigreur ?

— Il doit être malade.

— Il est malade, très malade. On ne peut pas être maigre comme cela si l'on n'est pas très malade. Les gens comme ça me font peur, ils m'effraient bien plus qu'un chien méchant. Mme d'Urville m'a dit qu'il vous avait réclamé de l'argent. Moi, il est venu me voir et m'a expliqué que je n'avais pas le droit de cuisiner dans ma chambre, mais que, compte tenu de la période que nous traversions, il comprenait. Ensuite, il m'a fait promettre que, quand tout rentrerait dans l'ordre, je devrais cesser de faire cuire quoi que ce soit et prendre mes repas à l'extérieur comme tout le monde. Je lui ai dit que cela faisait des années que je n'étais pas sorti. Alors, il a regardé mon installation, ma gazinière, mes provisions et ajouté : « Monsieur Saroyan, vous devriez prendre de l'exercice, sortir davantage. Vous êtes encore jeune, et ce n'est pas bon de s'enfermer toute la journée comme ça. Et puis quand vous aurez du temps, pourquoi ne pas nettoyer la pièce, il y a de la graisse partout. » De la graisse, vous vous rendez compte, il a dit « de la graisse », à moi qui fais la cuisine la plus légère de la ville. Sur le moment, j'ai trouvé cet homme détestable. Maintenant, je ne sais que penser. Vous qui êtes mon ami, donnez-moi votre avis.

— Je vous l'ai dit, je crois que c'est un être vieux et malade.

— S'il est vieux et malade, pourquoi s'occupe-t-il encore du règlement intérieur ? Quand on est dans son état, on s'occupe de soi, on soigne ses désordres avant de se mêler de ceux des autres. Ma chambre est propre, je la nettoie tous les jours, ma vaisselle est faite, et je lave régulièrement ma gazinière, qu'est-ce que je peux faire de plus ? Vous me voyez aller dîner dehors, sortir tous les soirs par cette pluie alors que je ne vais même plus faire mes courses ? Vous me voyez parler à des gens que je n'ai jamais vus, me nourrir devant des inconnus ? Cet homme maigre me fait très peur. Il n'est pas méchant comme l'ancien concierge, mais je me demande s'il n'est pas pire.

Samuel regarda la pluie caresser ses mains posées sur le rebord de la fenêtre. Elle s'accrochait en gouttelettes sur ses poils. Il trouvait cela ridicule.

Mme d'Urville était assise à côté de Samuel. Yossarian, lui, de l'autre côté de la table, gardait un œil sur les fourneaux. Dans la pièce, l'odeur collait à la peau, pire, elle avait un goût. Une sorte d'aigreur beurrée qui se déposait sur la langue dès qu'on ouvrait la bouche. Saroyan parlait toujours de la visite du propriétaire. Mme d'Urville mangeait avec un appétit qui faisait peine à voir. Bronchowski avait perdu le sien. Du bout de sa fourchette, il jouait avec une sorte de viande brune qui trempait dans un jus beige. Il y avait aussi des légumes qui ressemblaient à de grosses croûtes. Yossarian dit :

— Vous êtes le premier de tous mes amis à manger aussi peu. Vous ne touchez presque jamais aux plats. Le matin, vous prenez juste une gorgée de thé, et le soir à peine davantage. Ce n'est pas bien, il faut vous forcer, vous allez finir par tomber malade.

Samuel se servit une tasse de thé. On aurait dit du fuel tiède. La boisson glissa dans sa gorge comme de l'huile.

— Vous avez l'air tracassé, continua Yossarian. Le propriétaire vous a réclamé de l'argent ? Si c'est ça, il ne faut pas vous soucier. Il me reste encore quelques billets. Je peux vous les donner, et, comme ça, vous le ferez patienter. Il ne faut pas vous gêner avec moi, vous êtes mon ami, vous pouvez tout me dire, tout me demander.

— Yossarian, je crois que je vais quitter l'hôtel.

La phrase était tombée comme une pierre. Saroyan sembla se dégonfler d'un coup, se flétrir, se ratatiner.

— Vous allez partir ? Vous allez quitter l'hôtel à cause de ce vieil homme maigre ?

— Non, je pars parce que j'ai à faire ailleurs.

Yossarian n'écoutait plus rien. Il était enfermé dans le réduit de sa tête et commençait à arpenter son angoisse.

— Je le savais bien, un propriétaire est toujours pire qu'un concierge. Alors, c'est ça, il vous chasse, ce squelette, ce demi-mort vous chasse.

Il restait des légumes dans le plat. Mme d'Urville en reprit.

La pluie donnait de grands coups d'épaules dans la fenêtre. Les vitres vibraient, on aurait dit qu'un train passait sur le trottoir. Mais la tempête n'était rien à côté du désarroi qui habitait maintenant Saroyan. Il ne disait plus rien. Seul son visage était par moments traversé de spasmes. Une houle sous-cutanée faisait rider sa graisse. Il arrachait aussi des peaux de son pouce. Ses dents brunes ressemblaient à de vieilles pelles rouillées. Comme elle avait fini de dîner, Mme d'Urville se leva et quitta la chambre, laissant face à face les deux hommes. Samuel dit :

— Yossarian, personne ne me chasse, je dois simplement partir, c'est tout.

— Il vous chasse, ce tas d'os vous chasse. Il fait ça alors qu'il est sur le point de crever. Et il ose venir me demander d'aller prendre mes repas dehors. Vous savez ce qu'il ne supporte pas ? Vous le savez ? Eh bien, c'est qu'on mange ensemble, vous et moi, assis là, sous son toit, pendant que lui s'en va lentement, en bas, seul, sur sa chaise. C'est un homme mauvais, un propriétaire. Il entre dans nos vies parce que nous n'avons pas de clôture, il entre et dit : vous devez faire ceci, vous ne devez pas faire cela. Il se permet toutes ces choses parce qu'il est chez lui, parce que nous sommes chez lui.

— Yossarian, cet homme n'est pour rien dans mon

départ. J'ai simplement décidé de quitter l'hôtel pour aller vivre ailleurs, parce que c'est plus simple pour moi.

— Il n'aura pas mon argent, il n'aura rien. Je resterai là et je continuerai à préparer mes repas ici, je cuisinerai même pour tout l'étage, et ce n'est pas cette chair pelée qui arrivera à me déloger. Tous les jours, je guetterai les progrès de sa maladie, j'observerai sa fatigue croissante, ses moments d'abattement et, quand il ira vraiment mal, alors, je ferai un gâteau, une pâtisserie à l'odeur si lourde qu'elle l'empêchera définitivement de respirer.

— Yossarian, je vais me coucher, je vous verrai demain avant de partir.

Saroyan mit de l'eau à chauffer.

La rue était vide, et la tempête s'était calmée. Sur son lit, Samuel écoutait la voix de Maria. Elle chantait quelque chose de reposant, et lui respirait le plus doucement possible pour ne pas la déranger. Bronchowski n'aimait rien tant que ces moments. Ils étaient tous les deux ensemble, encore une fois, et il en serait ainsi jusqu'à la fin des temps parce qu'il l'aimait plus que tout. Les yeux fermés, il souriait.

Quand il les ouvrit, le jour se levait à peine. Il se souleva de sa couche et vit une forme ronde roulée au pied de son lit. C'était Yossarian. Les pattes croisées comme un bull mastiff, la langue légèrement sortie de sa bouche, le poil collé, sale et triste même dans son sommeil. Il devait sans doute rêver de margarine. Dans cette position, il avait l'air de rissoler. Mais il était là, fidèle comme la pauvreté, et il y resterait, jusqu'à la fin, jusqu'à ce que, dans la rue, son ami ne soit plus qu'une silhouette parmi d'autres.

8

CLÔTURE D'ÉPOQUE

Samuel hésitait à se lever, de peur de réveiller Saroyan. Avec d'infinies précautions, il glissa hors de la chambre. Quand il y revint, il tenait à la main une sorte de plateau où étaient posés deux tasses de thé et une boîte de biscuits. Yossarian se réveilla instantanément, comme s'il n'avait jamais dormi. Envoyant le petit déjeuner que lui avait préparé son ami, il dit :

— Jamais on n'avait fait cela pour moi.

Il avala une gorgée de thé, regarda Samuel avec des yeux de miel et murmura :

— C'est le meilleur que j'aie jamais bu.

Il vivait là le plus beau matin de sa vie. Elle lui avait donné ce qu'il n'aurait jamais espéré : un ami qui cuisine pour lui.

Il but l'infusion jusqu'à la dernière goutte, mastiqua longuement les gâteaux, puis avec difficulté se releva. Il se présenta devant Samuel comme un employé qui demande du travail et dit :

— Maintenant je vous laisse. Je sais que vous avez votre bagage à préparer. Il faut que vous sachiez ceci : plus jamais je n'aurai d'ami.

Comme une limace heureuse, il bavait. Une sorte de salive jaune coulait de ses lèvres. Yossarian regagna sa chambre. Bronchowski se dit : « En ce moment il doit pleurer. » Puis il entendit des bruits de casserole.

Samuel était bien. L'eau de la douche coulait sur son visage. C'était de l'eau de pluie, propre comme du verre. Son goût était âpre, austère. C'était une eau qui nettoyait bien. En revenant vers sa chambre, il croisa des visages inconnus, mais qui pourtant le saluaient avec respect. Il prit son sac pelé, ouvrit la fenêtre pour qu'un peu d'air neuf ventile la pièce, mais aussi pour que ses propres odeurs ne restent pas prisonnières dans un endroit pareil. Sur le pas de porte, déjà maquillée comme une glace à la fraise, Mme d'Urville l'attendait.

— Alors, ça y est, vous partez ?

Elle ouvrit ses bras familièrement comme on le fait avant le départ des trains, et d'un coup ses lèvres beurrées lubrifièrent la bouche de Samuel. C'était plus qu'un baiser de voyageur.

— Vous allez nous manquer à tous, vous étiez un voisin très agréable.

Elle le serra contre elle. Comme avant l'orage, toutes les odeurs de son corps remontaient. Chacune était si forte, si particulière que, même ainsi mélangées, on pouvait en déterminer l'origine. Avant de le laisser s'éloigner, d'un geste prétentieux, elle passa sa main sur son visage. Ses doigts étaient aussi doux que des gants de caoutchouc.

Yossarian Saroyan était tout près de l'escalier. Il portait une tunique sombre parfaitement repassée, ses cheveux étaient plaqués en arrière, et sa peau impeccable avait une couleur uniforme.

— Vous êtes absolument magnifique, magnifique, dit Samuel.

— C'est en votre honneur. Vous reviendrez nous voir ?

— Je reviendrai, et nous irons tous les deux dîner en ville.

Saroyan gloussa de plaisir. C'était bien la chose la plus folle qu'on lui ait jamais proposée. La main de son ami vint tout naturellement s'emboîter dans la sienne. C'était ça l'amitié.

Quand Samuel arriva dans le hall, il se dirigea vers la réception. La seule chose qui semblait vivante était ce diable de ventilateur. Il fut pris dans son souffle. L'appareil ronflait comme un bon feu de bois. Le patron n'était pas derrière son comptoir. Samuel songea qu'il était peut-être déjà mort et quitta l'hôtel.

En découvrant Bronchowski devant les grilles de la maison, le domestique de Bowan parut content. Il dit :

— Entrez. Monsieur se repose encore, mais hier soir il m'a fait préparer votre chambre. Elle vous attend. Elle est très agréable, elle donne sur le parc. Je vous y conduis.

En s'écrasant contre les feuilles des arbres, la pluie faisait un bruit de pétard mouillé. Le ciel crémeux semblait sucré comme de la chantilly. Avec son sac ridicule, Samuel monta l'escalier de pierre en observant les tableaux accrochés aux murs. La plupart représentaient des scènes de chasse, quelques-uns des paysages côtiers. Il s'arrêta un instant devant une toile de mer. C'était un crépuscule à marée basse, quelque chose d'à la fois triste et délicat. Les couleurs étaient si douces qu'on aurait dit du gâteau. Une grande paix émanait de cette huile. Par curiosité, Samuel chercha la signature. Dans l'angle droit du cadre, il lut : « Senanakaye ».

La chambre, vaste comme une maison et meublée

comme un palais, sentait le wagon pullman. Le lit était large, et les draps avaient les reflets d'un ruisseau. Les murs d'un rose très pâle soutenaient un plafond parfait. Un plafond si simple, si soigné qu'il n'y avait absolument rien à dire. Il n'était pas là pour se faire remarquer, mais pour remplir sa tâche sans jamais faillir. Avec lui, on se sentait protégé du vent et de la pluie. La nuit, il devait être un compagnon rassurant.

Derrière la fenêtre, ce n'était que des arbres à perte de vue. Toutes les boiseries étaient laquées et aussi lisses que des vitres, il y avait aussi des fleurs fraîches dans les vases et, devant les baies, des voilages. Au centre de cette pièce, entouré par ce mobilier apaisant et familier, Samuel se sentait comme un bouton dans une boîte. Il n'était pas heureux, mais, ce qui est presque aussi agréable, détendu. Il s'allongea sur le lit, et les draps l'enveloppèrent comme une couverture, ils sentaient le savon en morceaux.

Au bout d'un moment, Gloria descendit du plafond. Elle le traversa sans rien abîmer. Elle était vêtue de façon séduisante. Sa robe qui moulait ses reins remontait haut sur ses cuisses, et sous son chemisier, ses seins étaient aussi pointus que des piquants. Elle disait :

— Tu as fait tout ce voyage pour me voir, pour me reprendre.

Et Samuel répondait :

— Non, je suis venu t'annoncer que Maria est morte.

— Laisse Maria où elle est et dis-moi ce qui te ramène toujours à moi.

— Je te dis que notre fille est morte.

— Fiche-moi la paix avec ces histoires et touche-moi. C'est pour ça que tu es là, c'est pour ça que je suis venue. Les enfants ne m'intéressent pas. Ce que j'aime, ce sont les types comme toi qui traversent le monde pour me prendre.

En parlant, elle frottait ses jambes l'une contre l'autre. C'était à rendre fou.

— Il faut que tu m'écoutes, il faut que tu saches ce qui est arrivé à Maria et combien j'ai souffert. Tout seul, je l'ai enterrée tout seul.

— Ça ne m'intéresse pas. Tu n'as pas fait ce voyage pour me raconter la mort de ma fille. Tu n'es là que parce que tu ne pouvais plus te passer de mon ventre, parce que tu ne supportais plus l'idée que d'autres que toi touchent ce que j'ai en moi. C'est pour ça que tu es venu, que tu es ici, et pas pour autre chose.

— Non, je suis là pour Maria, rien que pour elle.

— Maria est dans la terre et je suis sur tes draps.

Elle se souleva lentement et mit sa langue dans son pantalon. Samuel eut l'impression qu'un serpent brûlant rampait sur sa peau. Il avait peur et n'osait pas bouger de crainte d'être piqué. La bête s'enroulait autour de lui, et sa chaleur devenait insupportable. Et puis il vit Maria, silencieuse, debout au pied du lit, tenant dans ses mains un appareil photo. Samuel murmura :

— Qui te l'a donné, qui t'a donné cet appareil ?

Et Maria ne disait rien. Elle prenait cliché sur cliché. De l'autre côté de la cloison, Yossarian faisait du bruit avec ses casseroles. Ça ne dérangeait pas le serpent qui n'en finissait pas de glisser. Les jambes de Gloria se tordaient comme des vers de vase. Maria disait :

— Regarde-moi, papa, je veux voir tes yeux sur la photo.

Samuel se leva d'un bond pour chasser les dernières miettes de ce mauvais rêve. Pourtant, ces mots remontèrent dans sa bouche : « C'est pour Maria que je suis là, rien que pour elle. » Il fit quelques pas dans la chambre et entra dans la salle de bains pour se rafraîchir le visage. L'eau était vigoureuse et claire. A son contact, la peau devenait dure comme un morceau de bois. Une source coulait sans doute sous la propriété.

Bronchowski quitta sa chambre et descendit l'escalier jusqu'à la toile de Senanakaye. Ce n'était pas possible que cet homme ait réalisé une chose pareille. Dans l'esprit de Samuel, on ne pouvait pas peindre comme ça et aimer la boxe.

— Voilà qui doit vous surprendre, monsieur Bronchowski.

Bowan, dans l'entrée, observait Samuel.

— Vous devez sûrement vous demander comment un être que vous trouvez à ce point détestable peut manier les couleurs avec autant de grâce. Eh ! oui, les gens sont parfois plus simples qu'ils veulent bien le laisser paraître, et Senanakaye moins mauvais qu'il veut bien le dire.

Samuel rejoignit l'infirme. Il était gêné d'avoir été surpris devant ce tableau. Il haïssait l'homme de la côte, et ce n'était pas cette marine maniérée qui le ferait changer d'avis.

— Je suis content de vous savoir chez moi, content que vous ayez accepté mon invitation. Malheureusement, je n'ai aucune nouvelle de votre femme. Avec tout ce qui se passe en ce moment, elle a peut-être décidé de différer sa venue. En attendant l'heure du thé, puis-je vous proposer une partie d'échecs ?

— Cela fait bien longtemps que je n'ai pas joué.

— Chaque fois que je propose une partie à quelqu'un, on me fait toujours cette réponse. Comment expliquez-vous cela, monsieur Bronchowski ?

— Les hommes doivent se ressembler.

— Voilà bien une réponse de joueur d'échecs. Conduisez-moi à la table, vous serez aimable.

Ils traversèrent le grand salon, la bibliothèque, la salle de billard, encore un salon et débouchèrent dans une sorte de fumoir abondamment vitré. Sur les carreaux, la pluie dessinait des langues transparentes. Les pièces en buis étaient déjà disposées sur l'échiquier. Bowan tira les blancs et fit une ouverture tarabiscotée que Samuel jugea prétentieuse. Mais, au bout de quelques déplacements, il comprit la stratégie de son adversaire. Une stratégie de bull-terrier. Quand il mordait une pièce, il était impossible de le faire lâcher. Les coups les plus rudes ne faisaient que fortifier sa mâchoire. On sentait véritablement ses crocs. Bowan jouait comme un dératiseur. Il exterminait pièce par pièce, nettoyait case après case. A mi-partie, il possédait un avantage qui tenait surtout à son positionnement. Alors, Samuel s'employa à retarder sa fin. Il n'était pas préparé à un tel face à face. Le divertissement avait peu à peu viré à une confrontation désagréable et agressive. Il retrouvait parfois dans les yeux du vieillard les lueurs féroces du regard de Senanakaye pendant les combats de boxe. Tous deux avaient le goût de l'anéantissement et de la destruction. A ce stade du jeu, Bronchowski regrettait sa naïveté initiale. Mais il était trop tard pour espérer refaire surface.

Le domestique, discrètement, apporta le thé. Agacé, dérangé, Bowan le chassa d'un revers de main, comme une mouche. Le vieux serviteur adressa un sourire gêné à Samuel et disparut.

Bowan n'exécuta pas Bronchowski, il le grignota morceau par morceau, sans rien négliger. Il procédait avec méthode pour supprimer la plus petite trace de vie. Affaibli, Samuel tenta bien de fuir à plusieurs reprises, mais l'infirme, à grandes enjambées, le rattrapa à chaque fois. Quand le roi fut mort, Bowan eut le sourire d'un jeune prince. Samuel n'appréciait pas du tout les façons de cet homme qui affichait par ailleurs d'aussi hautes vues sur l'existence. Samuel dit :

— C'est une nette défaite.

Le vieux leva les yeux.

— Aux échecs, monsieur Bronchowski, il n'y a ni vainqueur ni vaincu. Il n'y a que des morts et des vivants.

Il fit rouler sa chaise jusque devant les immenses vitres et regarda un instant les colliers de pluie qui glissaient le long des montants.

— Ce matin, mon domestique m'a dit qu'il devenait de plus en plus difficile de s'approvisionner en nourriture. Il paraîtrait même qu'en ville les gens mangent du chien.

Samuel se dit qu'il ne trouverait jamais pareille occasion de raconter le massacre de la voiture. Alors, après une profonde respiration, il se lança :

— Vous savez, hier soir j'ai vu bien pire. En sortant de chez vous, à deux pas de votre maison, il y a eu huit morts.

— Je vous en prie. Vous savez que je n'aime pas ce genre d'histoire. Que des hommes mangent des chiens, cela m'étonne mais reste quand même dans un certain ordre des choses. Permettez-moi de regarder ailleurs quand ils se dévorent entre eux. Monsieur Bronchowski, vous êtes ici chez vous. Vous pouvez y séjourner aussi longtemps que vous le désirerez. Je ne vous demande qu'une chose : ne me parlez plus jamais de ce que vous voyez au-delà de cette clôture.

Il y eut une explosion terrifiante. Suspendu au dernier mot de sa phrase, Bowan en resta bouche bée. Samuel se précipita dehors. Il fut mitraillé par l'averse. Devant les grilles, la guerre passait. Des cris insoutenables enjambaient les murs. Bronchowski entrouvrit le portail. Les gens couraient dans tous les sens entre des tanks disposés en quinconce. Leurs canons étaient braqués sur plusieurs immeubles. Petit à petit, les bâtiments s'écroulaient comme des gâteaux secs. Ils étaient habités. De temps en temps, pour affiner la trajectoire de leurs obus, les chars d'assaut se déplaçaient de quelques mètres. Avec leurs chenilles mouillées, on aurait dit de grosses tortues vertes. Samuel rentra dans la maison. Bowan était assis à la même place. A petite gorgées, il buvait une tasse de thé brûlant. Il dit :

— Si nous refaisions une partie d'échecs, monsieur Bronchowski ?

Samuel essuya l'eau qui coulait de son visage et s'assit à la table.

Ils jouèrent jusqu'à la nuit, jusqu'à ce que l'obscurité ne permette plus de différencier les blancs des noirs. Le visage de Samuel était creusé comme une terre humide que l'on vient de labourer. Une fois encore, il s'était fait dévorer de partout. Il était le dernier survivant d'une armée morte. De sa chaise, il ne pouvait distinguer les traits de Bowan, mais, à distance, il le sentait heureux, rajeuni, raffermi. Ce qui dépassait de la table ressemblait presque à un jeune homme.

Mais, au-dessous, il y avait deux jambes livides et, froides sous une couverture et un sexe glacé qui pendait au milieu. Ils restèrent un long moment en tête à tête avec la pluie qui bourdonnait, sans qu'aucun ne se décidât à parler ou à éclairer. Quand le domestique entra pour annoncer que le dîner était servi, il les trouva ainsi, immobiles dans le noir. Sur l'échiquier, on devinait à peine qu'un carnage venait de se produire.

Au moment de passer à table, Samuel se rendit compte que, pas une seule fois durant cet après-midi, il n'avait songé à Gloria ou à Maria. C'est à peine si le bruit de la guerre l'avait détourné de ses propres batailles. Le repas, servi dans de larges assiettes blanches, fut délicieux. Il y avait une éternité que Bronchowski n'avait pas mangé ainsi. Les aliments semblaient vivants et contents d'être là. Les plats étaient présentés comme des bouquets de fleurs. Bowan picorait comme un gros oiseau domestique, en allongeant son cou. S'il s'était envolé vers l'autre bout de la pièce, à la fin du dîner, Bronchowski n'aurait rien trouvé à redire.

Cette nuit-là, malgré les aboiements de la guerre, Samuel dormit d'une seule traite. Un sommeil noir et profond comme le fond de l'océan.

Il fut réveillé par les coups de pied que la pluie donnait dans les fenêtres. Le jour n'était pas levé depuis longtemps, mais la luminosité, aussi pâle que dans les chambres de malade, se faufilait timidement sous les larges jupes des voilages. Bronchowski descendit le grand escalier, passa devant la toile de Senanakaye sans la regarder et marcha jusqu'aux grilles. Alentour, la plupart des immeubles étaient détruits ou endommagés.

Samuel referma le portail derrière lui et partit en

direction de l'hôtel. Soudain, il n'avait plus que Yossarian en tête. Il avait peur pour ce gros crapaud. De temps à autre, il croisait des hommes qui fouillaient dans les décombres, soulevaient de lourds blocs de ciment et les laissaient retomber sur le sol. Aucune angoisse, aucun sentiment dans leur regard, seulement des yeux vides qui cherchaient sans doute de quoi manger. Quand il arriva sur la place, Bronchowski fut soulagé. La dent creuse était toujours là, noire, cariée, pourrie, trouée, puante, mais toujours debout. Le chicot avait tenu le coup. Le hall était vide et le ventilateur du comptoir avait disparu. Samuel monta à l'étage. Tout le monde semblait encore dormir. Il poussa très doucement la porte de la chambre de Saroyan et trouva son ami roulé comme un croissant dans son lit. Sa bouche faisait un bruit de machine à coudre, et la pièce sentait l'urine et le grésil mélangés. Sur la chaise il y avait un plat avec des restes et un liquide brunâtre dans lequel de grosses mouches se lavaient les pattes. Bronchowski se dirigea vers la cuisinière et fit chauffer de l'eau.

Les deux hommes prirent leur déjeuner côte à côte, assis sur le rebord du lit, Le bonheur de Yossarian se lisait sur ses lèvres, grasses comme des ventres de bébé. Il buvait le thé de son ami, et sa langue frétillait comme une truite. Le liquide brûlant lui réchauffait le ventre. Son estomac chantait des refrains écœurants.

— Vous savez que le patron n'a pas reparu depuis votre départ ?

— Il est peut-être mort, répondit Samuel.

Je n'aimais pas ce vieillard et pas davantage le concierge. Mais j'aime encore moins que l'hôtel soit livré à lui-même, que la réception soit vide. Un homme qui ne me plaît pas s'est déjà installé dans votre chambre. Il est entré et s'est installé. Personne ne lui a rien demandé. On ne sait rien de lui. Je ne suis pas tranquille de le savoir de l'autre côté de la cloison. Et ça m'agace qu'il dorme dans votre lit.

Samuel versa une nouvelle tasse de thé à son ami qui trempa sa petite langue rose dans l'infusion avant de l'avaler avec des yeux de poisson-chat.

— Vous croyez vraiment que le patron est mort ? demanda Yossarian.

— C'est bien possible. En tout cas, son ventilateur a disparu.

Saroyan posa sa tasse sur le rebord de la chaise, se leva en souriant, ouvrit une espèce de mallette métallique et en sortit l'appareil électrique.

— C'est vous qui l'avez pris ?

— Cet homme n'avait pas à nous traiter comme il l'a fait. Hier, je suis descendu dans le hall et, voyant qu'il n'y avait personne, j'ai pris le ventilateur. Je voulais juste le lui confisquer pour quelques jours. Pour qu'il transpire, qu'il sache ce que c'est que d'étouffer dans son sale hôtel quand l'air est aussi chaud que la vapeur. Je comptais le rapporter, parce que, vous savez, je n'ai jamais rien volé.

En finissant sa phrase, il brancha l'appareil qui, après un moment d'hésitation, se mit au travail.

Dans le couloir, on entendait des pas. Peu à peu, la file d'attente s'allongeait devant la porte de la salle d'eau.

Samuel retourna chez Bowan d'un pas distrait. Il pensait à Yossarian, au plaisir qu'il avait eu à le retrouver intact, vivant. La pluie ruisselait le long de son corps comme une colonne de fourmis froides.

Bowan prenait son déjeuner au salon. Quand il vit Samuel, dégoulinant, entrer dans la maison, il n'eut pas un regard pour lui et donna seulement un ordre bref au domestique. Quelques secondes plus tard, celui-ci passait une serpillière dans l'entrée pour enlever les traces d'eau.

Seul dans la chambre, Bronchowski rôdait, les yeux au plafond. Dans un coin, il découvrit le visage de Maria. Elle lui souriait. La journée ne pouvait pas mieux commencer.

Vers midi, Samuel descendit au salon. Il y trouva Bowan en train de feuilleter de vieilles revues. Sans détacher les yeux de sa lecture, le vieil homme dit :

— Comment allez-vous, monsieur Bronchowski ? Des nouvelles de votre femme ?

L'infirme avait posé ces questions sur un ton à la fois machinal et déplaisant, sans se préoccuper le moins du monde d'une éventuelle réponse. Depuis les parties d'échecs de la veille, Bowan n'était plus le même. Dans ses victoires, il semblait avoir puisé une nouvelle vigueur, mais aussi une certaine arrogance. Il traitait son hôte avec condescendance, et les inflexions de sa voix étaient celles d'un maître ou d'un propriétaire. Il posa ses magazines, fit pivoter son fauteuil, l'amena avec une incroyable aisance au ras des chevilles de Samuel et dit :

— Asseyez-vous. Vous et moi devons avoir une conversation.

L'infirme alla se poster devant la fenêtre, aux bordures de la pluie, le regard fixé sur le ventre de ses arbres.

— Il faut que les choses soient claires, monsieur Bronchowski. Je n'aime pas que les gens qui logent chez moi entrent et sortent de la propriété à tout bout de champ. Je vous ai moi-même invité ici à attendre votre femme en vous précisant que vous seriez libre de vos allées et venues. Je voulais dire par là que vous aviez toute latitude pour vous promener dans le jardin, le parc ou la maison. Il n'était pas question dans mon esprit que vous alliez dans la rue. Je n'aime pas ces sorties intempestives au lever du jour. Cela me dérange, crée un désordre autour de moi. En plus, je crains qu'à la longue cela n'attire l'attention sur la propriété. Tant que vous résiderez ici, je vous demande de bien vouloir respecter cette règle. Vous ne vous en êtes certainement pas rendu compte, mais tout à l'heure, quand vous êtes entré, vous avez apporté ici les odeurs du dehors. Et peut-être même quelques idées. Ce sont peut-être là les relents de la réalité, mais la réalité n'a rien à faire dans cet endroit. Avez-vous faim, monsieur Bronchowski ?

Samuel avait maintenant l'impression d'avoir Senanakaye en face de lui. Le timbre de la voix, son débit désabusé, la position devant la fenêtre, les yeux morts, ce sentiment d'absence et surtout cette insupportable façon de passer d'un sujet à l'autre, de mêler le dérisoire à l'essentiel. Comment, après avoir dit de pareilles choses, pouvait-on demander à quelqu'un s'il souhaitait passer à table ? C'était bien là la configuration d'un esprit malade. Samuel avait eu envie de se lever, d'ouvrir les grilles du parc, de pousser le vieux dans son fauteuil au travers des rues, au milieu des décombres, de l'amener devant le chicot, de lui faire renifler l'odeur de la bouche des morts et des chiens mouillés, de lui faire toucher la peau des cadavres, et de le planter au milieu des hommes agglutinés autour de la misère. De le laisser ainsi parmi les jambes de la foule comme un chien malade que l'on veut abandonner. Pour se sauver, pour retrouver ses escaliers de pierre et ses marines, il aurait dû alors très vite apprendre à implorer. C'était cela, sa seule chance de se sauver. Bowan ne valait guère mieux que Senanakaye. Mais il était la seule passerelle, même pourrie, qui pouvait conduire à Gloria. C'est dans cette maison qu'elle devait venir. C'est ici que Samuel devrait lui dire : « Maria est morte, notre fille est morte, c'est pour ça que je suis là. Je l'ai enterrée tout seul. » C'est ici qu'il devait rester. Bronchowski pensa à Yossarian, il le vit derrière ses fourneaux, les doigts gluants de graisse, les yeux coulants, les jambes courtes et la respiration pénible. Il le regarda s'affairer ainsi dans le caquetage ridicule de ses casseroles, et lui trouva pourtant des manières de prince. Sans mot dire, il se dirigea vers la salle à manger.

Le déjeuner fut silencieux comme un enterrement. Samuel ne toucha pratiquement pas aux plats. Tout ce qui circulait sur la table le dégoûtait. La nourriture avait l'aspect repoussant d'une femme trop maquillée. Trop de chair, trop de couleurs, trop d'odeurs. Et dire que, la veille, tout cela lui avait semblé merveilleux. Maintenant, il regrettait presque l'odeur du graillon, cette sauce brunâtre qui sentait le diesel, ce thé épais comme de l'huile et toute cette cuisine de Yossarian qui avait le parfum d'une station-service. Samuel quitta sa chaise avant la fin du repas.

— Le déjeuner n'est pas terminé, monsieur Bronchowski, hurla Bowan.

Il gesticulait sur son fauteuil d'infirme. On aurait dit un vieux ver.

— Reprenez votre place, je vous prie. Vous n'avez pas à quitter la table ainsi, monsieur Bronchowski.

Sa voix était devenue aussi rauque que celle d'un chien de garde.

Quelques instants plus tard Samuel réapparut dans le hall. A la main, il tenait son sac. Bowan se tortillait sur sa chaise roulante.

— Je vous chasse, monsieur Bronchowski, je vous chasse de cette maison. Vous ne reverrez jamais votre femme, jamais. Si elle se présente ici, je ne la recevrai pas, je la congédierai comme je vous congédie. Je comprends aujourd'hui combien Senanakaye avait raison et comme il avait vu juste. Vous êtes un être négligeable, méprisable, vous n'avez rien à faire de ce côté-ci des murs. Vos préoccupations sont pitoyables. Retournez dans la vie, sous la pluie, retournez vers ces cris, ces bruits, ces hommes qui peinent et qui sentent mauvais. Je vous ai accueilli, je vous ai nourri, je vous ai fait dormir mais je ne vous ai jamais respecté, monsieur Bronchowski. Le plus commun, le plus chétif de mes arbres a plus de dignité que vous n'en aurez jamais. Vous ne savez rien, vous n'éprouvez rien, en dehors de quelques émotions primitives, vous n'êtes rien.

Samuel semblait prisonnier de ces phrases comme d'un buisson de ronces. Chaque mot l'écorchait et il préférait ne pas bouger.

— Vous n'êtes rigoureusement rien. Aux échecs, je vous ai vu vous agripper à la vie d'une manière dégoûtante. Vous faites partie de ces gens qui se débattent en essayant de chasser la mort à coups de pied. Vous ne saurez jamais mourir, monsieur Bronchowski. Ni partir, d'ailleurs. Maintenant, quittez cette maison, retournez dans la soupe commune et ne sonnez plus jamais à la grille.

La pluie était collante comme de la compote. Elle glissait lentement le long des joues et recouvrait le dos des hommes qui fouillaient toujours les décombres. En poussant avec ses épaules, Samuel avançait parmi les vagues de la foule. Il tenait son vieux sac serré contre lui. Il avait l'impression de porter un enfant entre ses bras. Pour rien au monde il ne l'aurait lâché. Sa tête était pleine de la haine de Bowan. Maria avait tout entendu. Maintenant, sans rien dire, elle caressait son père de l'intérieur, elle lui léchait le cœur comme un chien soigne sa patte.

Désormais, si Bronchowski voulait retrouver Gloria, il faudrait qu'il attende, la nuit et le jour, dehors, parmi les blocs de ciment, les ruines, qu'il guette les grilles sans désemparer, en répétant au fond de lui-même les derniers mots qui lui restaient : « Maria est morte, notre enfant est morte, c'est pour ça que je suis là, pour te dire que je l'ai enterrée seul. »

Il devrait déjà être devant le portail, en faction, dans l'attitude du quêteur, du mendiant. Mais il avait envie de revoir Yossarian, le chicot, les prouesses du ventilateur et ce long couloir avec, au fond, la salle de bains où l'on se lavait de pluie.

En découvrant Samuel sur le pas de la porte, son bagage larmoyant à la main, Yossarian bondit comme une vache laitière.

— Vous êtes de retour, vous êtes de retour.

Comme Bronchowski ne savait que répondre, l'hippopotame le prit entre ses grosses pattes charnues. Saroyan se rua dans le couloir en criant : « Mon ami est revenu ! » Bronchowski fut heureux de ce bonheur élémentaire qui saisit le voyageur en fin de parcours. Il n'était pourtant pas allé très loin, il avait juste traversé quelques rues, enjambé des trottoirs, mais il lui semblait avoir franchi des mondes. Mme d'Urville se précipita dans la chambre, mit sa langue, dure comme du carton, dans la bouche de Samuel, lui lappa les poumons et le serra si fort contre elle qu'il pouvait entendre les bruits de son estomac. Quand Yossarian revint, il les trouva ainsi, elle, l'étouffant, lui, les bras ballants, détendu et heureux comme un noyé.

— C'est ça, c'est ça, dit Saroyan, tenez-le bien, madame d'Urville, tenez-le fort cette fois-ci, il ne faut plus qu'il nous échappe.

Il riait avec un bruit de pintade. Puis il battit le rappel des casseroles. Elles étaient toutes là, côte à côte dans le désordre et la saleté la plus totale, mais elles étaient là, occupées à cuire, réchauffer ou faire bouillir. Sans geste brusque, comme on s'éloigne d'un malade qui sent mauvais, Samuel se glissa hors des bras de Mme d'Urville. Il s'assit sur le lit, regarda ces visages familiers qui l'entouraient, jeta un œil vers les pustules du plafond et respira profondément. Avec un vieux torchon raidi, Mme d'Urville lui épongeait le visage et séchait ses cheveux.

Yossarian répétait :

— Je vais faire un gâteau comme les étages n'en ont jamais vu, un gâteau dont on se souviendra. Il y en aura pour tout le monde, mais la plus belle part sera pour mon ami.

L'après-midi fut fantastique. Les gens entraient et sortaient de la chambre de Saroyan, quelques-uns apportant de petites friandises dans du papier journal pour agrémenter la pâtisserie, d'autres venant seulement dire un mot aimable. Il y avait une atmosphère de fête, la vie avait repris dans tout hôtel, la vie d'avant, du temps de l'électricité. Yossarian avait entrouvert la fenêtre, mais la pluie n'entrait pas et regardait à travers le carreau. Le ventilateur, fier comme une hélice d'avion, battait l'air qui sentait la chantilly et Mme d'Urville, enfermée dans sa chambre, se poudrait aux couleurs sucrées d'une pâte d'amande. L'homme qui dormait dans le lit de Samuel, ce voisin que Yossarian n'aimait pas, était venu lui aussi saluer. Puis, timidement, il avait annoncé à l'endroit de Bronchowski :

— On m'a dit que j'occupais votre chambre. Je l'ignorais. Elle était vide quand je suis arrivé. Je vais débarrasser mes affaires et vous la rendre.

Avant que Samuel eût le temps de répondre, Yossarian avait pris la parole :

— Il n'en est pas question. Vous gardez cette chambre. Monsieur Bronchowski reste ici, il y est chez lui. Il est mon ami, il dormira dans mon lit.

Samuel eut un regard vers les draps aussi rêches et noirs qu'une vieille boîte de conserve. Poliment, le voisin avait remercié, s'était encore excusé et avait disparu dans le couloir comme une souris qui regagne son trou.

— Vous voyez, c'est un homme charmant, dit Samuel.

— Je ne sais pas s'il est charmant, mais en tout cas il vient de gagner une part de gâteau.

A l'heure du repas, Mme d'Urville apparut. Son parfum grésillait comme un chant de cigale. Elle était habillée de peu de chose, mais les écoulements de sa transpiration auréolaient déjà les tissus. Curieusement, malgré la chaleur, elle portait des bas, des bas luisants couleur de peau. Elle passait sa main sur ses mollets :

— Autrefois j'avais un ami qui me répétait : je pourrais rester des heures à regarder vos jambes. Je n'en ai jamais vu d'aussi belles, celles des autres femmes ressemblent à des cornets à glace.

Cela fit beaucoup rire Yossarian, le nez grisé par les vapeurs de sa cuisine. Il jubilait :

— Des cornets à glace, hi, hi, des cornets à glace.

Assis près de Mme d'Urville, envahi par ses odeurs, imprégné de la multitude d'effluves qui s'évadaient des fourneaux, Samuel, pris dans cette tornade qui s'élevait en son honneur, était comme enivré. Sa tête tournait un peu, son cœur battait plus vite, il mangeait à pleine bouche, buvait, se resservait encore et encore pour le seul bonheur de provoquer les exclamations de joie de Yossarian.

Le gâteau était abominable, pire que tout, repoussant. Il avait un goût de pansement, et il se vidait sur la langue comme un abcès trop mûr. Saroyan s'en léchait les doigts. Bronchowski avala sa part en fermant les yeux, mais, même par amitié, il n'eut pas le courage d'en reprendre. Les étages, eux, étaient ravis et attendaient devant la porte avec leurs petites soucoupes. Saroyan fit un partage équitable et dans sa distribution n'oublia pas son nouveau voisin.

Quand la guerre passa dans la rue, le repas était terminé depuis longtemps. Yossarian se leva, éteignit la lumière puis rejoignit Samuel et Mme d'Urville près de la fenêtre. La place était noire de soldats et d'autochenilles vertes qui rampaient comme des limaces. Elles faisaient un bruit de ferraille, mais aussi de succion. La fusillade dura jusqu'au milieu de la nuit, dense comme une averse.

— Je crois que les choses changent, dit Yossarian.

Samuel, dans ses reins, sentait le ventre de Mme d'Urville. Il percevait même le mouvement que ses intestins faisaient en mangeant.

— Les choses changent, répétait Saroyan, cette nuit les choses changent. Quand l'armée recule, les choses changent.

Plus tard, quand la guerre s'en alla vers d'autres quartiers, Bronchowski regarda Yossarian qui s'était allongé un instant, disait-il, pour se reposer. Il était affalé dans sa boîte et dormait encore comme un gros morceau de bois flotté. Mme d'Urville, debout, passa une jambe autour de celles de Samuel. En frottant contre le tissu du pantalon, ses bas sifflèrent. Sa langue, encore imprégnée de l'odeur du gâteau, jaillit d'entre ses lèvres comme une torpille et s'enfonça dans la gorge de Bronchowski.

Quand elle se détacha de lui, il eut l'impression qu'on lui enlevait un cataplasme. Il regarda sa voisine regagner sa chambre. Elle marchait en ondulant comme un serpent. C'était vraiment un soir de fête.

Samuel, de retour au fond de cette dent creuse, s'endormit en souriant, roulé en boule, au pied du lit de Yossarian Saroyan, son ami.

Le lendemain, quand Samuel proposa à Yossarian de l'accompagner jusque devant la maison de Bowan, le gros homme s'empourpra de bonheur et d'angoisse. Il réfléchit longuement, alla de la fenêtre à la porte, puis de la porte aux fourneaux. Sortir. Aller dehors. Le bruit, les gens, la peur, les couleurs, les odeurs, les trottoirs, les magasins. Sortir. Sa tête était aussi confuse qu'une fourmilière. Sortir. Cela faisait si longtemps. Et la guerre ? Les soldats ? Que restait-il dehors ? Où en étaient exactement les choses et les gens ? Marcher à nouveau parmi les autres, effleurer leur peau, sentir l'odeur de leur bouche. Sortir, avec lui, son ami.

— Je n'en ai pas pour très longtemps, attendez-moi dans le hall.

Ses yeux brillaient comme ceux d'un enfant la nuit de Noël. Samuel patienta un quart d'heure. Il regarda la marche fébrile de ce monde qui envahissait la rue. Comme une infinité de couteaux, la pluie cisaillait tous ces visages. Ils étaient presque en sang.

Au bas des marches, Saroyan était éblouissant. Il portait sa tunique bleu marine et ses cheveux luisants étaient plaqués sur son crâne.

Quand il se retrouva d'un coup au milieu de cette foule, Yossarian eut l'impression d'entrer dans une eau trop froide. Le temps d'un frisson, sa peau devint granuleuse comme du gravier. Puis, pas à pas, bien accroché au bras de son ami, il se familiarisa avec ce nouvel élément. Il y avait même au fond de lui de petits fourmillements qui ressemblaient à de la joie. Malgré les frictions de la pluie, sa coiffure demeurait impeccable. Son poil était si gras que l'eau glissait dessus comme sur une aile de pigeon.

Quand les deux hommes arrivèrent devant la propriété de Bowan, ils s'abritèrent en face, sous un pan d'immeuble qui tenait encore debout. Ils restèrent ainsi, durant deux jours, assis dans les décombres, côte à côte, à parler comme ils ne l'avaient encore jamais fait.

Parfois, les flammes de la guerre venaient lécher leurs vêtements. Alors, ils se couchaient sur le sol, le visage à plat sur la terre, la bouche bien fermée.

Autour d'eux, ils observèrent la foule enfler, s'agiter et gonfler comme un océan. Saroyan répétait :

— Les choses changent, je vous assure que quand l'armée recule, les choses changent. Je crois que nous allons voir la fin de tout ça.

Et puis, une vague plus forte que les autres, sombre et noire tant elle était puissante, déferla le long des hauts murs de chez Bowan. Samuel se leva d'un bond, prit son ami par le bras et dit :

— C'est le moment.

Yossarian mesurait l'ampleur du dernier effort qui l'attendait :

— C'est trop haut, je vous assure, je n'y arriverai jamais.

Autour d'eux, des êtres avec des yeux nouveaux, des visages jeunes et reposés, escaladaient la clôture. Derrière, des milliers attendaient leur tour. La pluie enrobait leurs épaules. Au prix de profondes écorchures et à bout de force, Samuel et Yossarian parvinrent en haut du mur.

Ils virent alors que la mort les attendait dans un jardin anglais.

Ils aperçurent la maison, le gazon aussi propre que des draps, l'air fin comme de la gaze, le ciel qui ne bougeait pas et les arbres qui poussaient. Maria leur faisait de grands signes de la main au bout de l'allée.

Alors, ils se regardèrent, perchés là comme deux vieux oiseaux, et, puisqu'ils avaient fait tout ce chemin, basculèrent de l'autre côté.

DU MÊME AUTEUR

Compte rendu analytique
d'un sentiment désordonné
Fleuve noir, 1984

Éloge du gaucher
Robert Laffont, 1986
et « Points », n° P1842

Tous les matins je me lève
Robert Laffont, 1988
et « Points », n° P118

Les poissons me regardent
Robert Laffont, 1990
et « Points », n° P854

Vous aurez de mes nouvelles
Grand Prix de l'humour noir
Robert Laffont, 1991
et « Points », n° P1487

Parfois je ris tout seul
Robert Laffont, 1992
et « Points », n° P1591

Une année sous silence
Robert Laffont, 1992
et « Points », n° P1379

Prends soin de moi
Robert Laffont, 1993
et « Points », n° P315

La vie me fait peur
Seuil, 1994
et « Points », n° P188

Kennedy et moi
prix France Télévisions
Seuil, 1996
et « Points », n° P409

L'Amérique m'inquiète
Éditions de l'Olivier, 1996
Éditions de l'Olivier, coll. « Replay », 2017
et « Points », n° P2105

Je pense à autre chose
Éditions de l'Olivier, 1997
et « Points », n° P583

Si ce livre pouvait me rapprocher de toi
Éditions de l'Olivier, 1999
et « Points », n° P724

Jusque-là tout allait bien en Amérique
Éditions de l'Olivier, 2002
« Petite Bibliothèque de l'Olivier », n° 58, 2003
et « Points », n° P2054

Une vie française
prix Femina
Éditions de l'Olivier, 2004
et « Points », n° P1378

Vous plaisantez, monsieur Tanner
Éditions de l'Olivier, 2006
et « Points », n° P1705

Hommes entre eux
Éditions de l'Olivier, 2007
et « Points », n° P1929

Les Accommodements raisonnables
Éditions de l'Olivier, 2008
et « Points », n° P2221

Palm Springs 1968
(photographies de Robert Doisneau)
Flammarion, 2010

Le Cas Sneijder
prix Alexandre-Vialatte
Éditions de l'Olivier, 2011
et « Points », n° P2876

La Succession

Éditions de l'Olivier, 2016
et « Points », n° P4658

Tous les hommes n'habitent pas le monde
de la même façon

prix Goncourt
Éditions de l'Olivier, 2019

RÉALISATION : GRAPHIC HAINAUD
IMPRESSION : CPI FRANCE
DÉPÔT LÉGAL : JUIN 2006. N° 87376-2 (2048576)
IMPRIMÉ EN FRANCE

Éditions Points

DERNIERS TITRES PARUS

P5066. La Vie sexuelle en France, *Janine Mossuz-Lavau*
P5067. Dégradation, *Benjamin Myers*
P5068. Les Disparus de la lagune, *Donna Leon*
P5069. L'homme qui tartinait une éponge, *Colette Roumanoff*
P5070. La Massaia, *Paola Masino*
P5071. Le Cœur blanc, *Catherine Poulain*
P5072. Frère d'âme, *David Diop*
P5073. Désintégration, *Emmanuelle Richard*
P5074. Des mirages plein les poches, *Gilles Marchand*
P5075. J'ai perdu mon corps, *Guillaume Laurant*
P5076. Le Dynamiteur, *Henning Mankell*
P5077. L'Homme sans ombre, *Joyce Carol Oates*
P5078. Le Paradoxe Anderson, *Pascal Manoukian*
P5079. De l'aube à l'aube, *Alain Bashung*
P5080. Journal d'un observateur, *Alain Duhamel*
P5081. C'est aujourd'hui que je vous aime, *François Morel*
P5082. Crépuscule, *Juan Branco*
P5083. Les Fabuleuses Aventures de Nellie Bly, *Nellie Bly*
P5084. Le Roman du Canard, *Patrick Rambaud*
P5085. Les Aventures illustrées de Pensouillard le hamster. Comment apprivoiser l'ego, *Serge Marquis*
P5086. Les 300 Plus Belles Fautes... à ne pas faire. Et autres extravagances à éviter, *Alfred Gilder*
P5087. Le ministre est enceinte. Ou la grande querelle de la féminisation des noms, *Bernard Cerquiglini*
P5088. Les Mots voyageurs. Petite histoire du français venu d'ailleurs, *Marie Treps*
P5089. Un bonbon sur la langue. On n'a jamais fini de découvrir le français !, *Muriel Gilbert*
P5090. Luc, mon frère, *Michael Lonsdale*
P5091. Un haïku chaque jour. Un poème et sa méditation pour être plus présent à la vie, *Pascale Senk*
P5092. 365 Jours avec Rainer Maria Rilke. Paroles d'un maître de vie, *Rainer Maria Rilke*
P5093. Les Fils de la poussière, *Arnaldur Indridason*
P5094. Treize Jours, *Arni Thorarinsson*
P5095. Tuer Jupiter, *François Médéline*
P5096. Pension complète, *Jacky Schwartzmann*
P5097. Jacqui, *Peter Loughran*

P5098. Jours de crimes, *Stéphane Durand-Souffland et Pascale Robert-Diard*
P5099. Esclaves de la haute couture, *Thomas H. Cook*
P5100. Chine, retiens ton souffle, *Qiu Xiaolong*
P5101. Exhumation, *Jesse et Jonathan Kellerman*
P5102. Lola, *Melissa Scrivner Love*
P5103. L'Oubli, *David Foster Wallace*
P5104. Le Prix, *Cyril Gely*
P5105. Le Pleurnichard, *Jean-Claude Grumberg*
P5106. Midi, *Cloé Korman*
P5107. Une douce lueur de malveillance, *Dan Chaon*
P5108. Manifesto, *Léonor de Récondo*
P5109. L'Été des charognes, *Simon Johannin*
P5110. Les Enténébrés, *Sarah Chiche*
P5111. La Vie lente, *Abdellah Taïa*
P5112. Les grandes villes n'existent pas, *Cécile Coulon*
P5113. Des vies possibles, *Charif Majdalani*
P5114. Le Mangeur de livres, *Stéphane Malandrin*
P5115. West, *Carys Davies*
P5116. Le Syndrome du varan, *Justine Niogret*
P5117. Le Plongeur, *Stéphane Larue*
P5118. Hunger, *Roxane Gay*
P5119. Dégager l'écoute, *Raymond Depardon et Claudine Nougaret*
P5120. Comment j'ai arrêté de manger les animaux *Hugo Clément*
P5121. Anagrammes. Pour sourire et rêver, *Jacques Perry-Salkow*
P5122. Les Spaghettis de Baudelaire. 50 conseils pour briller en cours de lettres, *Thierry Maugenest*
P5123. Tout autre nom, *Craig Johnson*
P5124. Requiem, *Tony Cavanaugh*
P5125. Ce que savait la nuit, *Arnaldur Indridason*
P5126. Scalp, *Cyril Herry*
P5127. Haine pour haine, *Eva Dolan*
P5128. Trois Jours, *Petros Markaris*
P5129. Quand notre cœur s'ouvre à la spiritualité *Caroline Coldefy*
P5130. Les Invisibles, *Antoine Albertini*
P5131. Le Fil de nos vies brisées, *Cécile Hennion*
P5132. D'os et de lumière, *Mike McCormack*
P5133. Le Nouveau, *Tracy Chevalier*
P5134. Comment j'ai vidé la maison de mes parents. Une trilogie familiale, *Lydia Flem*
P5135. Le Grand Cahier. Une trilogie, *Agota Kristof*